NUEVO ESPAÑOL EN MARCHA

CUADERNO DE EJERCICIOS

Francisca Castro Viúdez
Pilar Díaz Ballesteros
Ignacio Rodero Díez
Carmen Sardinero Francos

Primera edición, 2014
Séptima edición, 2018

Produce **SGEL – Educación**
Avda. Valdelaparra, 29
28108 ALCOBENDAS (MADRID)

Coordinación editorial: Jaime Corpas
Edición: Mise García
Diseño de cubierta e interior: Verónica Sosa
Corrección: Susana López
Maquetación: Verónica Sosa
Ilustraciones: Maravillas Delgado (págs.: 9, 24, 25, 26, 29, 30, 32, 38, 39, 43, 45, 46, 48, 65, 70, 80, 82, 87, 91) y Pablo Torrecilla (págs.: 5, 16, 85). Para cumplir con la función educativa del libro se ha incluido la viñeta de Leo Verdura, cuyo autor es Rafa Ramos.
Fotografías: Héctor de Paz (pág.17), Cordon Press (pág. 36, 55, 56, 57, 58, 60, 62, 71); el resto de Shutterstock, de las cuales, solo para uso de contenido editorial, pág. 15 foto a (krechet / Shutterstock.com), foto c /Migel / Shutterstock.com), foto f (Igor Bulgarin / Shutterstock.com), pág. 31 foto de Juan Luis Guerra (Miguel Campos / Shutterstock.com)
Impresión: Grupo Gráfico Gómez Aparicio

ISBN: 978-84-9778-531-0

Depósito Legal: M-480-2014

Printed in Spain – Impreso en España

CONTENIDOS

1 Saludos

A ¡Encantado!

1 Relaciona.

1 ¡Hola!, ¿qué tal?
2 ¿De dónde eres?
3 ¿Cómo te llamas?
4 Este es Rubén.
5 Mucho gusto.
6 ¿Eres español?

a Encantado.
b Soy japonesa.
c Me llamo Mayumi.
d Bien, ¿y tú?
e ¡Hola!, Rubén, ¿qué tal?
f No, soy cubano.

2 Escribe las preguntas.

1 **A** *¿De dónde eres?*
B Soy andaluz.
2 **A** ¡Hola!, ¿__________?
B Bien, ¿y usted?
3 **A** ¿__________?
B No, soy mexicana.
4 **A** ¿__________?
B Soy francesa.
5 **A** ¿__________?
B Renate, ¿y tú?

3 Completa la tabla.

TÚ	USTED
¿Cómo te llamas?	¿Cómo se llama?
	¿De dónde es usted?
¿Cómo estás?	

4 Completa los diálogos con los elementos del recuadro.

soy • eres • cómo • y tú

1 **A** Hola, ¿*cómo* te llamas?
B Anil, ¿y tú?
A Safiya.
B ¿__________ francesa?
A No, __________ nigeriana. ¿__________?
B Yo soy paquistaní.

pero • en • esta • gracias • dónde

2 **Pablo:** María, mira, *esta* es Susanne.
María: Hola, Susanne, ¿qué tal?
Susanne: Bien, __________.
María: ¿De __________ eres?
Susanne: Soy francesa, __________ ahora vivo __________ Madrid.

presento • gracias • buenos • encantado

3 **Susana:** Buenos días, Sr. López.
Sr. López: __________ días, Susana.
Susana: Mire le __________ a la nueva directora, Julia Linares.
Sr. López: __________ de conocerla.
Julia: __________, igualmente.

5 Completa la tabla.

PAÍS	NACIONALIDAD	
	masculino	femenino
Francia	francés	francesa
Portugal	Portugués	portuguesa
Marruecos	marroqui	marroquí
Brasil	brasileño	brasileña
PERU	peruano	peruana
Canadá	canadiense	canadiense
Alemania	alemán	alamena
Polonia	polaco	polaca
Bielorrusia	bielorruso	bielorrusa
Irlanda	irlandés	irlandesa
México	mexicano	mexicana

6 Escribe los nombres que se deletrean. Cinco son apellidos y cinco son ciudades.

1 Ese – a – ene – ce – hache – e – ceta
Sánchez
2 Erre – o – de – erre – i – ge – u – e – ceta
Rodriguez
3 Ceta – o – erre – erre – i – elle – a
Zorilla
4 Eme – a – erre – te – i – ene – e – ceta
Martinez
5 Hache – u – e – erre – te – a
Huerta
6 Be – o – ge – o – te – a
Bogatá
7 Uve – a – ele – e – ene – ce – i – a
Valencia
8 Uve – a – erre – ese – o – uve – i – a
Varsovia
9 Te – u – ene – e – ceta
Túnez
10 A – ene – ce – a – erre – a
Ancara

B ¿A qué te dedicas?

1 Busca en esta sopa de letras los nombres de ocho profesionales.

P	E	L	U	Q	U	E	R	A	B
R	T	Y	Ñ	P	O	U	J	K	Ñ
O	Z	C	A	R	T	E	R	O	L
F	M	E	T	A	X	I	S	T	A
E	C	R	A	B	O	G	A	D	A
S	V	W	P	D	O	S	M	O	A
O	R	E	R	A	M	A	C	L	C
R	E	P	T	V	E	B	W	M	T
A	Y	P	O	U	D	L	U	Q	R
P	O	U	T	R	I	M	W	D	I
Z	Q	R	T	B	C	M	N	R	Z
A	R	V	X	L	A	P	G	F	D

2 Forma frases, como en el modelo.

1 Él / llamar por teléfono / todos los días.
Él llama por teléfono todos los días.
2 Rosa / tener / tres hijos.
____
3 Ignacio / hablar / inglés y francés.
____
4 Nosotros / comer / en casa los domingos.
____
5 ¿Usted / hablar / ruso?
____
6 ¿Vosotros / vivir / en España?
____
7 Ellos / vivir / en París.
____
8 Layla / estudiar / en la universidad.
____
9 Yo / no trabajar / ni estudiar.
____
10 ¿Usted / trabajar / aquí?
____

3 Completa la tabla.

SER	TENER
soy	tengo
	tienes
somos	
son	

4 Completa las frases con *tener* o *ser*.

1 Elena *tiene* dos hijos.
2 Roberto _______ de Buenos Aires.
3 ¿De dónde _______ Jorge y Claudia?
4 **A** ¿_______ ustedes americanos?
B No, _______ ingleses.
5 Yo _______ un novio español.
6 Mi amiga Gisela _______ brasileña.
7 **A** ¿_______ novio (vosotras)?
B Ella sí, pero yo no _______.
8 **A** ¿Tú _______ peruana?
B No, _______ boliviana.
9 **A** Julia _______ mi hermana, _______ profesora.
B Yo también _______ profesora.
10 Mi hija _______ una casa en Mallorca.
11 **A** (Nosotros) _______ argentinos. Y vosotros, ¿de dónde _______?
B _______ chilenos.
12 **A** ¿(Tú) _______ hijos?
B No, no _______ hijos.

5 Forma frases tomando un elemento de cada columna.

Luis y yo	habla	Derecho
Renate	trabajo	traductora
Yo	estudiamos	madrileños
Ángel y Rosa	es	cuatro idiomas
	tienen	en un restaurante
	somos	dos hijos
		cocineros

C ¿Cuál es tu número de móvil?

1 Relaciona los números con su transcripción en letras.

a 934 694 325 — 4
b 608 541 275
c 956 439 803
d 963 352 041
e 972 376 921
f 608 342 105

1 nueve, cinco, seis; cuatro, tres, nueve; ocho, cero, tres.
2 nueve, seis, tres; tres, cinco, dos; cero, cuatro, uno.
3 seis, cero, ocho; tres, cuatro, dos; uno, cero, cinco.
4 nueve, tres, cuatro; seis, nueve, cuatro; tres, dos, cinco.
5 nueve, siete, dos; tres, siete, seis; nueve, dos, uno.
6 seis, cero, ocho; cinco, cuatro, uno; dos, siete, cinco.

2 Escribe los números de teléfono.

a 913 567 826
nueve, uno, tres; cinco, seis, siete; ocho, dos, seis.

b 925 073 941
____

c 626 254 685
____

d 620 654 392
____

e 953 981 856
____

3 Completa.

once		trece
		dieciséis
		diecinueve

4 1 Escucha y completa las fichas.

NOMBRE: Manuel
APELLIDOS: ______
NACIONALIDAD: ______
PROFESIÓN: ______
CIUDAD: ______ TEL.: ______
CORREO ELECTRÓNICO: manuel.romero@gmail.com

NOMBRE: Isabel
APELLIDOS: ______
NACIONALIDAD: ______
PROFESIÓN: ______
CIUDAD: ______ TEL.: ______
CORREO ELECTRÓNICO: ______

5 Completa la tarjeta con tus datos.

NOMBRE: ______
APELLIDOS: ______
NACIONALIDAD: ______
PROFESIÓN: ______
CIUDAD: ______ TEL.: ______
CORREO ELECTRÓNICO: ______

6 Completa las frases con la información correspondiente a las fichas.

NOMBRE: **José**
APELLIDOS: **Martínez López**
TRABAJO: **secretario**
DOMICILIO: **Sevilla**
NACIONALIDAD: **española**

NOMBRE: **Noelia**
APELLIDOS: **Montoro Ruiz**
TRABAJO: **pianista**
DOMICILIO: **Cáceres**
NACIONALIDAD: **cubana**

1 Se llama José Martínez ______. Es ______. ______ en Sevilla y es ______.
2 ______ Noelia ______ ______. Es ______. ______ en Cáceres y es ______.

7 Completa con los verbos del recuadro. Cada uno se repite varias veces.

llamarse • estudiar • vivir • ser
tener • trabajar • hablar • estar

A
Hola, (1) *me llamo* Antonio Rodríguez, (2)______ taxista. (3)______ con mi familia en Toledo. Estoy casado y (4)______ un hijo de quince años. Mi mujer (5)______ Susana y (6)______ peluquera, (7)______ en una peluquería cerca de nuestra casa. Mi hijo (8)______ en el instituto, (9)______ un buen estudiante. En mi casa (10)______ también mi madre, tiene 68 años y (11)______ viuda. Ella nos ayuda en el trabajo de la casa.

B
Yo (12)______ Luisa y (13)______ enfermera. (14)______ andaluza, pero (15)______ en Tarragona. (16)______ en un hospital, claro. (17)______ soltera, pero tengo una familia muy grande. Mis hermanos y mis padres (18)______ en Barcelona.

C
Mira esta foto, (19)______ Javier, mi novio. (20)______ 23 años y (21)______ informático, (22)______ en una empresa de ordenadores. (23)______ inglés y francés, (24)______ muy inteligente.

2 Familias

A ¿Estás casado?

1 Relaciona.

1 ¿Tienes hermanos?
2 ¿Estás casada?
3 ¿Cuántos hijos tienen ustedes?
4 ¿Cómo se llama tu madre?
5 ¿Estás casado o soltero?
6 ¿Tienes abuelos?
7 ¿De dónde es tu padre?
8 ¿Cuántos años tiene tu madre?
9 ¿Dónde vives?
10 ¿Dónde trabaja tu padre?

a No, estoy soltera.
b Rocío.
c Yo estoy casado, ¿y tú?
d Sí, una abuela.
e Dos, un niño y una niña.
f Sí, uno mayor que yo.
g Cincuenta.
h Es de Córdoba.
i En un apartamento en Madrid.
j En un restaurante.

2 Completa la descripción de las familias con el verbo *ser, tener* o *llamarse*.

LAURA

Yo vivo con mi familia. Mi padre (1)________ Jaime y (2)________ abogado. Mi madre, Paloma, (3)________ 45 años y (4)________ bibliotecaria. Mi hermano Víctor (5)________ estudiante, (6)________ mayor que yo, (7)________ 20 años.
Además (8) ________ dos hermanas pequeñas. (9) ________ Elena y Estrella. (10) ________ muy simpáticas.

PABLO

Yo vivo en Madrid y mi familia en un pueblo. (1)________ dos hermanas, María (2)________ la mayor, (3)________ 21 años y estudia medicina. Isabel (4)________ la menor, (5)________ 18 años y estudia en el instituto. Las dos (6) ________ muchos amigos.
Mi madre (7)________ Rosa, (8)________ médica y mi padre (9)________ Francisco y (10)________ economista.

3 Mira el árbol genealógico y completa las frases.

José Luis ⚭ Mercedes
Miguel ⚭ Marisa — Jorge ⚭ Adela
Irene, Celia (hijas de Miguel y Marisa) — Álvaro (hijo de Jorge y Adela)

CELIA: Mercedes es mi *abuela.*
MARISA: Miguel es mi ________
MERCEDES: Jorge es mi ________
IRENE: Jorge es mi ________
IRENE: Marisa es mi ________
MIGUEL: Marisa es mi ________
ÁLVARO: José Luis es mi ________
CELIA: Miguel y Marisa son mis ________
ÁLVARO: José Luis y Mercedes son mis ________
ADELA: Celia es mi ________

4 Escribe el plural.

1 Juan es colombiano.
Rosa y María son colombianas.
2 Mi padre es profesor.
Mis padres ________.
3 Yo tengo un gato.
Nosotros ________.
4 Él está casado.
Ellos ________.
5 Este hotel es caro.
Estos ________.
6 ¿Tu compañero es español?
¿Tus ________?
7 Este chico es estudiante.
Estos ________.
8 ¿Tu bolígrafo es nuevo?
¿________?
9 La ventana está abierta.
________.
10 Esta es la amiga de mi hermana.
________.

B ¿Dónde están mis gafas?

1 Encuentra el nombre de los objetos en la sopa de letras.

O	B	C	R	D	P	M	G	U	V	F
R	P	O	W	S	S	B	P	W	R	M
D	I	C	C	I	O	N	A	R	I	O
E	N	H	G	L	F	R	R	E	P	V
N	B	E	U	L	A	M	A	L	P	I
A	Y	B	(M	A	P	A)	G	O	J	L
D	N	L	I	B	R	O	U	J	Z	W
O	B	N	M	G	A	F	A	S	C	P
R	Z	A	E	L	R	P	S	R	T	U

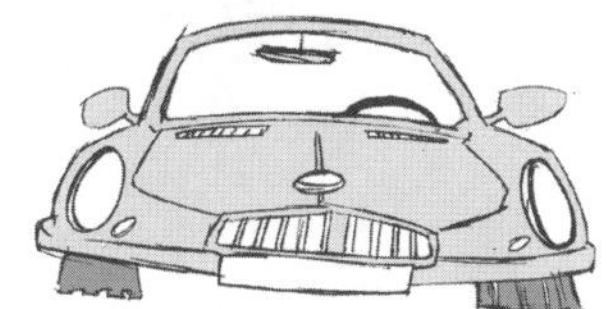

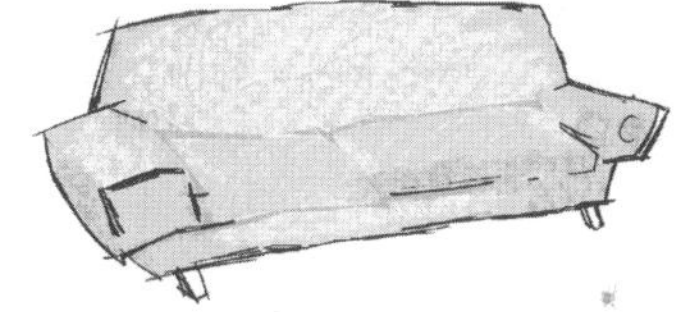

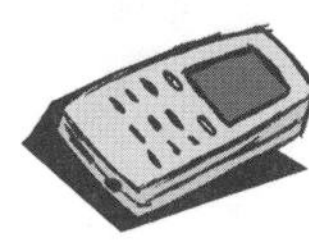

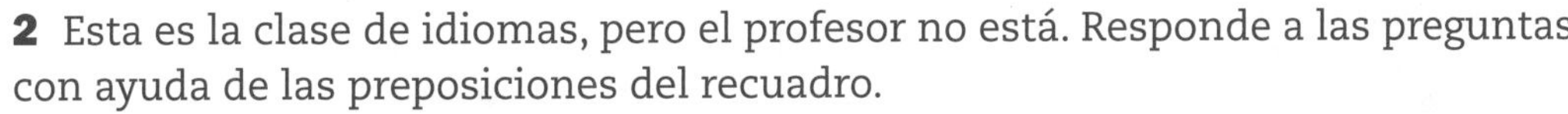

2 Esta es la clase de idiomas, pero el profesor no está. Responde a las preguntas con ayuda de las preposiciones del recuadro.

al lado de (x2) • encima de (x3) • debajo de • entre • detrás • delante • en

1. ¿Dónde están Laura, María y Jorge?
   Laura, María y Jorge están *al lado de* la ventana.
2. ¿Dónde están los diccionarios?
   Los diccionarios están ______________ la mesa.
3. ¿Dónde está Jorge?
   Jorge está ______________ Laura y María.
4. ¿Dónde está la mochila de Laura?
   La mochila de Laura está ______________ la silla.
5. ¿Dónde está el cuaderno?
   El cuaderno está ______________ la silla.
6. ¿Dónde está Laura?
   Está ______________ de la ventana.
7. ¿Dónde está el balón?
   El balón está ______________ de la silla.
8. ¿Dónde está el mapa?
   El mapa está ______________ la pared.
9. ¿Dónde está el ordenador?
   El ordenador está ______________ la mesa.
10. ¿Dónde está el ratón?
    El ratón está ______________ del ordenador.

3 Sigue el modelo.

1 hermano (yo)
Este es mi hermano.
2 padres (yo)
Estos ______.
3 madre (tú)
¿______?
4 tíos (él)
______.
5 libros (tú)
______.
6 hermanas (yo)
______.
7 abuelos (ella)
______.
8 teléfono (Ud.)
¿______?
9 móvil (yo)
______.
10 coche (ella)
¿______?

C ¿Qué hora es?

1 Escribe la hora correcta debajo de cada reloj.

______

______

______

______

______

______

______

______

2 Completa.

a 25 *veinticinco.*
b 87 ______ y siete.
c 94 noventa ______.
d 103 ______ tres.
e 115 ______ quince.
f 230 doscientos ______.
g 321 trescientos ______.
h 446 ______ cuarenta y seis.
i 535 ______ treinta y cinco.
j 1212 mil ______.
k 1936 ______ treinta y seis.
l 1998 mil novecientos ______.
ll 2550 dos mil ______.

3 2 Escucha a esta persona hablar de los horarios de su país y escribe la hora.

Desayuno: Desayunan a las ______.
Comida: A las ______.
Cena: ______.
Los niños empiezan las clases a las ______.
Los bancos abren a las ______ y cierran a las ______.
Las tiendas abren a las ______ y cierran a las ______.

4 Escribe sobre los horarios en tu país.

En mi país la gente desayuna a las ______, come a las ______ y cena a las ______.
Los niños empiezan las clases a las ______.
Los bancos abren a las ______ y cierran a las ______.
Las tiendas abren a las ______ y cierran a las ______.

5 Lee el texto y señala verdadero o falso.

HIJOS ADOPTADOS

Manolo y Nuria son gallegos, viven en Santiago de Compostela. Manolo es administrativo y tiene 36 años. Su mujer, Nuria, tiene 34 años y es peluquera. Tienen dos hijos: Marcos y Benito. Pero los hijos no son gallegos, ni españoles. Marcos es ecuatoriano, tiene 8 años, y Benito, de 7 años, es colombiano. Los dos son adoptados. Ahora forman una familia feliz.

1 Manolo y Nuria no son españoles. ☐
2 La familia vive en España. ☐
3 Nuria es peluquera. ☐
4 Manolo y Nuria tienen tres hijos. ☐
5 Marcos y Benito son hijos adoptados. ☐

6 Ordena las frases.

1 simpática / es / hermana / mi / muy.
Mi hermana es muy simpática.
2 ¿vives / tus / tú / padres / con?
____
3 ¿padres / tus / viven / dónde?
____
4 mayor / hermano / mi / médico / es.
____
5 marido / alemana / empresa / trabaja / una / en / mi.
____
6 vive / padres / abuelo / mi / con / mis.
____
7 ¿estudian / hijos / universidad / en / tus / la?
____

7 (CD 3) Escucha y completa los datos.

	VUELO	HORA	Puerta embarque
Lima		7.55	6 C
Santiago	064	12.05	
Buenos Aires	1289		5 B
México	576	18.35	
Roma		23.10	10 A

8 Corrige los errores.

1 Mis padres es italianos.
Mis padres son italianos.
2 ¿Dónde está mis lápices?
____
3 Enrique tiene dos reloj.
____
4 El diccionario está encima de mesa.
____
5 Mi hermano estudio Medicina.
____
6 Son la una y cuarto.
____
7 Esta sofá es muy cómodo.
____
8 En mi país la gente cena las diez.
____

9 Completa las frases con las palabras del recuadro.

tu • sus • este • ~~esta~~ (x2) • estos • estas • mi tus • vuestro • mis

1 *Esta* no es mi mesa.
2 _____ hijo tiene un perro.
3 ¿De qué color es _____ coche, Juan?
4 ¿Son _____ los libros de _____ compañeros, Laura?
5 María no vive en casa de _____ padres.
6 _____ son mis amigas Marta y Nieves.
7 **A:** Mi mujer y yo tenemos un hijo.
B: ¿Y cuántos años tiene _____ hijo?
8 _____ chico no es mi hermano, es mi primo.
9 En _____ foto estamos mi hermano y yo con _____ padres en la playa.

Practica más 1

Unidades 1 y 2

1 Completa las tablas.

	Trabajar	Comer	Vivir
yo	trabajo	como	vivo
	trabajas		
él			
nosotros			
			vivís
ellos		comen	

Tener	Ser
	soy
tienes	
	somos
tenéis	

2 Completa las frases con uno de los verbos del ejercicio 1.

1 Ángel y Susi tienen dos hijos.
2 Ida _____ peruana, _____________ peluquera y ___________ en una peluquería.
3 Nosotros __________ los domingos en un restaurante chino.
4 **A** ¿Dónde _________ usted?
B En Málaga, ¿y usted?
5 **A** ¿___________ hijos?
B No, estoy soltero.
6 Rosa y Emilio ______ profesores y __________ en una escuela de idiomas.
7 Julia ______ estudiante y _________ con sus padres.
8 **A** ¿Dónde ______________ ustedes?
B Yo, en un restaurante.
C Y yo en una empresa de informática.
9 Nosotros no _____________ hijos.
10 Ellos _______ españoles, pero __________ en Cuba.

3 Escribe en la columna correspondiente.

~~silla~~ ~~ordenador~~ mapa sofá diccionario libro móvil gafas televisión mesa ventana cuaderno hotel chico

Masculino	Femenino
ordenador	*silla*

4 Escribe las preguntas.

1 **A** ¿De dónde eres?
B Soy peruana.
2 **A** ¿_______________________________ español?
B No, soy mexicano.
3 **A** ¿Dónde _______________________________?
B Yo en Valencia.
C Y yo en Sevilla.
4 **A** ¿A qué _______________________________?
B Soy administrativo.
5 **A** ¿_______________________________?
B En una empresa de informática.
6 **A** ¿_______________________________?
B Roberto Martínez.
7 **A** ¿___________________________ madrileñas?
B No, somos andaluzas.
8 **A** ¿_______________________________?
B No, estoy soltera.
9 **A** ¿_______________________________?
B Sí, un niño y una niña.

5 Escribe el plural de estos nombres.

1 la mesa *las mesas*
2 el reloj ____________
3 el hombre ____________
4 la mujer ____________
5 el paraguas ____________
6 el estudiante ____________
7 la abuela ____________
8 la madre ____________
9 el autobús ____________
10 el móvil ____________
11 la hija ____________

6 Completa con el posesivo adecuado.

1 ¿Cómo se llama *tu* hijo? (tú)
2 ¿Dónde están ______ gafas? (yo)
3 ¿De dónde es ______ profesora? (tú)
4 ¿Dónde están ______ libros? (tú)
5 ¿Dónde están ______ hermanas? (usted)
6 ¿Dónde está ______ padre? (usted)
7 ¿De dónde es ______ novia? (él)
8 ¿Dónde está ______ diccionario? (yo)

7 Escribe los números que faltan.

1 diez, ____________ , doce, ____________ , catorce, ____________ , dieciséis, ____________ , dieciocho, ____________ .

2 veinte, ____________ , cuarenta, ____________ , sesenta, ____________ , ochenta, ____________ .

3 ____________ , doscientos, ____________ , cuatrocientos, ____________ , seiscientos, ____________ , ochocientos, ____________ , mil.

8 En cada frase hay un error. Encuéntralo y corrígelo.

1 ¡Buenas días, señor Martínez!
Buenos. ____________
2 Me llamo Mary y soy inglés.
____
3 Ellos vive en París.
____
4 Yo trabaja en un banco.
____
5 Mi madre es peluquero.
____
6 ¿De dónde sois ustedes.?
____
7 Roberto y Ana tiene dos hijos.
____
8 Mi compañera está de Brasil.
____
9 Nosotras somos italiana.
____
10 En mi país la gente comen a las 12.
____
11 La reloj de Luis es nuevo.
____
12 Esta mapa es de América del Sur.
____

3 El trabajo

A Rosa se levanta a las siete

1 Forma frases.

1 María / bañarse / por la mañana.
María se baña por la mañana.
2 Jorge / levantarse / muy tarde.
____
3 ¿Tú / acostarse / antes de las 12?
¿_______________?
4 Mi novio no / afeitarse / todos los días.
____
5 Clarita / peinarse / sola.
____
6 Yo / acostarse / antes que mi mujer.
____
7 Mis padres / levantarse / temprano.
____
8 Peter / sentarse / en la última fila.
____

2 Completa con la preposición adecuada.

a (al) *de* *desde* *hasta* *en* *por*

1 El lunes próximo vuelvo *a* mi país.
2 La farmacia está abierta _______ las diez _______ la mañana _______ las ocho _______ la tarde.
3 Rebeca sale _______ casa _______ las 8.
4 Yo voy _______ trabajar _______ metro y vuelvo _______ casa andando.
5 ¿_______ qué hora te levantas?
6 Los bancos abren _______ ocho _______ tres.
7 Los sábados _______ la mañana voy _______ gimnasio.
8 Raúl y Luisa vuelven _______ las vacaciones mañana.
9 En esta escuela hay clases _______ la mañana y _______ la tarde.
10 Yo trabajo _______ casa.
11 No he visto _______ Juan _______ el verano pasado.

3 Relaciona.

1 ir	a despertarse
2 dormir	b salir
3 abrir	c volver
4 entrar	d terminar
5 acostarse	e levantarse
6 empezar	f cerrar

4 Completa la tabla.

Acostarse	Volver	Ir
me acuesto		
te	vuelves	
se		va
	volvemos	
os acostáis		
		van

5 Busca en la sopa de letras estas formas verbales.

~~ir, yo~~ • cerrar, ella • empezar, nosotros
salir, yo • venir, vosotros • cerrar, yo
venir, yo • empezar, usted • salir, ellos

C	E	M	P	E	Z	A	M	O	S
I	W	R	(V	O	Y)	Ñ	E	M	A
E	C	I	E	R	R	A	M	H	L
R	V	E	N	G	O	B	P	X	G
R	M	Q	I	Z	M	Ñ	I	K	O
O	U	Z	S	S	A	L	E	N	C
Z	W	R	T	M	B	O	Z	Q	L
V	B	R	E	T	U	M	A	X	L

6 Completa con el verbo en presente.

1 **A** Hola, María, ¿de dónde (venir) *vienes*?
B (venir) ________ de comprar unos regalos y (ir) ________ ahora mismo al supermercado, que (cerrar) ________ a las 9.

2 **A** ¿(ir, nosotros) ________ mañana a la playa?
B Si (acostarse, nosotros) ________ pronto hoy, sí.

3 **A** ¿A qué hora (empezar) ________ la película?
B A las 12, pero yo (acostarse) ________ ya, estoy muy cansada.

4 **A** Es tarde, ¿(volver, nosotros) ________ a casa?
B Sí, ¿(ir, nosotros) ________ en metro o en taxi?

5 ¿Tú (levantarse) ________ muy temprano?

B ¿Estudias o trabajas?

1 Une estas fichas correctamente y encontrarás los días de la semana.

~~LU~~ SÁ NES CO BA GO

MIN DO NES JUE VIER

MIÉR TES MAR VES LES DO

1 *LU* ________
2 ________ ________
3 ________ ________ ________
4 ________ ________
5 ________ ________
6 ________ ________ ________
7 ________ ________ ________

2 Relaciona las imágenes con las profesiones.

1 músico ☐
2 conductor ☐
3 policía ☐
4 pintor ☐
5 estudiante ☐
6 camarero ☐
7 enfermera ☐

a

b

c

d

e

f

g

3 Relaciona.

1 músico	a oficina
2 estudiante	b aeropuerto
3 camarero/a	c orquesta
4 enfermero/a	d restaurante
5 dependiente	e universidad
6 azafata	f hospital
7 secretario/a	g supermercado

4 Escribe algunas frases sobre estas personas. Utiliza el vocabulario del ejercicio anterior.

1 Paloma es azafata y trabaja en ________________ .
2 Celia es dependienta y ________________________ .
3 Ana y Luisa ________ enfermeras y ______________ .
4 Mi hermana ______________ y ______________ una oficina.
5 Jaime y Pedro ________________________ restaurante.

5 Nuria vive en Granada con su hija. Mira los dibujos y escribe frases sobre su vida. Utiliza los verbos del recuadro.

ir a nadar • ducharse • leer • cenar • trabajar • llevar al colegio
desayunar • recoger • ~~levantarse~~

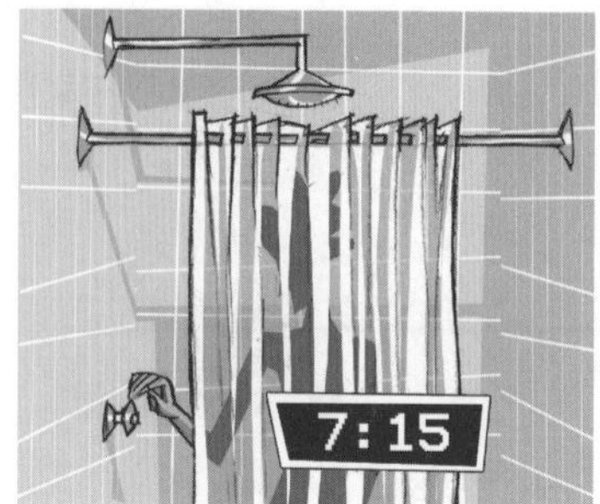

1 Nuria *se levanta* a las siete.
2 Nuria ______________________ .
3 Nuria ________________ con su hija a las 7.30.
4 ________________ a la niña a las 8.
5 ________________ en el colegio desde las 9 hasta las 17.
6 ________________ a su hija a las 17.30.
7 ________________ a la piscina a las 18.00.
8 ________________ con su hija a las 20.00.
9 ________________ un libro antes de dormirse.

6 Completa el texto con las palabras del recuadro.

soy muy trabajo porque salgo fines el cine y semanas cantantes ~~de~~

Hola, me llamo Paula y soy *de* Madrid.Tengo 28 años y ________ periodista. ________ en la redacción de la revista *Clarita*. Mi trabajo es ________ interesante ________ conozco a mucha gente: artistas, políticos, ________...
Todas las ________ hago un reportaje ________ una entrevista.
Los ________ de semana ________ con mis amigos. El sábado vamos a bailar y ________ domingo, al ________ .

C ¿Qué desayunas?

1 Cuatro personas están en una cafetería. Escucha y completa qué desayuna cada uno.

¿Qué toman?

A ______________ y tostada. ______________ de queso ______________ una magdalena
B ______________ . ______________ . y ______________ .

2 Relaciona las palabras de la columna de la izquierda con las de la derecha. Hay más de una posibilidad.

1 zumo
2 pan
3 café
4 aceite
5 bocadillo
6 té

a con tomate y aceite
b de jamón
c con leche
d de oliva
e con limón
f con mantequilla
g de queso
h de frutas

3 Responde a las siguientes preguntas:

1 ¿A qué hora desayunas?
____

2 ¿Qué desayunas normalmente?
____

3 ¿A qué hora comes normalmente? ¿Y los domingos?
____

4 ¿Tomas café después de comer?
____

5 ¿Meriendas? ¿Qué meriendas?
____

6 ¿A qué hora cenas?
____

4 Completa con g o gu.

1 __itarra
2 para__ayo
3 re__alo
4 __oma
5 Uru__ay
6 cole__io
7 __erra
8 domin__o
9 pa__ar
10 Norue__a

4 La casa

A ¿Dónde vives?

1 Mira las fotos y escribe debajo en qué lugar de la casa están. En el recuadro tienes el lugar de la casa donde tienes que situarlo.

dormitorio • cocina • comedor • ~~jardín~~ • salón • garaje • cuarto de baño

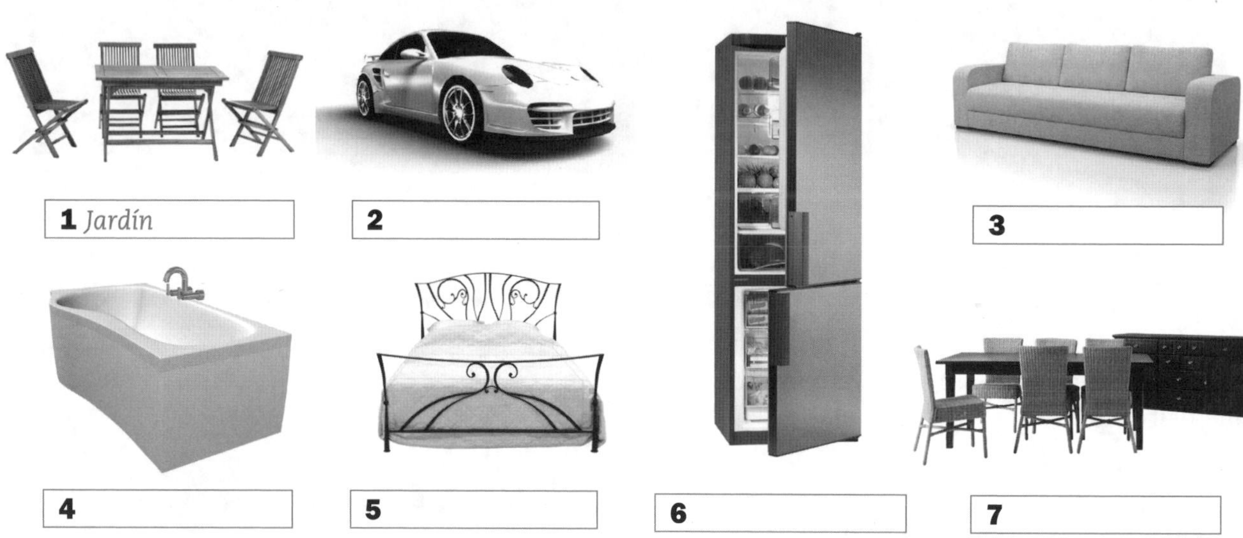

1 *Jardín*

2 ____

3 ____

4 ____

5 ____

6 ____

7 ____

2 ¿En qué piso vive cada personaje?

1 Doña Matilde en el 1.° izda.
En el primero izquierda.
2 Don Federico en el 4.° dcha.
____
3 Juan y Manuel en el 3.° C.
____
4 Mi hermana en el 2.° izda.
____
5 La señora González en el 10.° dcha.
____
6 El señor Vergara en el 1.° dcha.
____

3 Lee el anuncio de *venta de pisos* y completa las frases.

1 El piso de General Ricardos tiene dos habitaciones y un ____ completo. La ____ está amueblada.
2 Los ____ del piso de Salamanca tienen mucha luz.
3 La única casa que tiene ____ es la de Urgel.
4 Por 250 000 euros tenemos un piso en Chamartín con un ____ pequeño.
5 El apartamento de Pirámides tiene un gran ____.

Venta de pisos

- **General Ricardos:** 2 dormitorios, cocina amueblada, baño completo: **190 000 €.**
- **Salamanca:** 90 m², 3 dormitorios, muy luminoso: **450 000 €.**
- **URGEL:** 70 m², 2 dormitorios, garaje, cerca del metro: **180 000 €.**
- **Chamartín:** 3 dormitorios, planta baja, pequeño jardín: **250 000 €.**
- **Pirámides:** apartamento, 60 m², 1 dormitorio, salón muy grande, junto a la estación de cercanías: **200 000 €.**

B Interiores

1 ¿En qué parte de la casa pueden estar las siguientes cosas? Hay varias opciones.

sillones lavabo lavavajillas ~~armarios~~ espejo equipo de música mesa bañera microondas

Salón	Cocina	Cuarto de baño
	armarios	

2 Completa los huecos con el artículo determinado (*el / la / los / las*).

1 Compro _el_ periódico todas las mañanas.
2 _____ casa de Isidro es muy grande.
3 _____ amigos de Juan son muy jóvenes.
4 Yo vivo en _____ centro de Madrid.
5 Trabajo con _____ hermanas de Ángela.
6 _____ metro está cerca de _____ plaza Mayor.
7 _____ comedor de mi casa tiene dos ventanas.
8 ¿Están _____ platos en _____ lavavajillas?
9 Tengo _____ entradas para _____ concierto.
10 _____ mesa y _____ sillas de madera están en _____ jardín.

3 Completa los huecos con el artículo indeterminado (*un / una / unos / unas*).

1 Este hotel tiene _una_ piscina estupenda.
2 ¿Trabajas en _____ empresa de informática?
3 Este es _____ restaurante muy bueno.
4 Tengo _____ libros de arte preciosos.
5 Este piso tiene _____ cuarto de baño muy grande.
6 Tengo _____ pantalones nuevos.
7 Rosa vive en _____ chalé adosado.
8 Estudio en _____ colegio bilingüe.
9 ¿Quieres _____ vaso de leche?
10 ¡Hace _____ día estupendo!
11 Al lado de la habitación hay _____ cuarto de baño.
12 En la habitación hay _____ hombre y _____ mujer.
13 En el frutero hay _____ naranjas y _____ manzana.

4 Completa los huecos con el artículo determinado o indeterminado correspondiente.

1 _El_ libro está en mi cartera pero no sé dónde están _____ gafas.
2 Cerca de mi casa hay _____ mercado.
3 _____ pizarra está en _____ pared.
4 _____ campos de fútbol están al final del parque.
5 Allí está _____ tienda de fotografía.
6 Me levanto a _____ seis todos los días.
7 Pablo tiene _____ coche muy viejo.
8 Cerca de mi casa hay _____ estación de autobuses.
9 Jesús es _____ marido de _____ amiga de mi hermana.

5 Ordena las siguientes frases.

1 dos restaurantes / mi casa / cerca de / hay.
Cerca de mi casa hay dos restaurantes.
2 Barcelona / el Museo Picasso / está / en.
____
3 Bilbao / cerca de / está / Santander.
____
4 hay / mi casa / una estación / junto a.
____
5 lavabo / espejo / está / encima / del / el.
____
6 está / ordenador / habitación / el / hermano / la / en / mi / de.
____
7 ¿banco / aquí / hay / cerca / dónde / de / un?
____
8 cine / niños / está / los / Andrés / el / con / en
____

6 Completa las frases con:

hay • está • están • tiene • tienen

1 El dormitorio _está_ al final del pasillo.
2 ¿_______ una farmacia por aquí cerca?
3 ¿Dónde _______ los servicios, por favor?
4 En la plaza _______ un museo.
5 La estantería _______ a la derecha de la tv.
6 ¿_______ unos grandes almacenes cerca de tu casa?
7 Mis abuelos _______ una casa en el campo.
8 ¿Dónde _______ la calle General Ricardos?
9 ¿_______ tu madre microondas en la cocina?
10 El espejo _______ en el cuarto de baño.

7 Escucha a Carmen hablar de su casa y di si las frases son verdaderas o falsas. Corrige las falsas.

1 La casa de Carmen está en la ciudad. ☐
2 La casa de Carmen es muy bonita. ☐
3 La casa tiene dos cuartos de baño. ☐
4 El comedor tiene chimenea. ☐
5 La cocina está cerca del salón. ☐
6 La casa no tiene garaje. ☐
7 El jardín es pequeño. ☐
8 Tiene muchos árboles y flores. ☐
9 En la casa no hay piscina. ☐

____
____
____
____
____

8 Completa el texto con las palabras del recuadro.

está • en • dormitorios • quinta • librería • ~~grande~~ • porque • cocina • hay • televisión • el

REPORTAJE

Elena García

Mi piso no es muy (1) *grande*, pero es muy cómodo. (2)__________ en un edificio antiguo, (3)__________ el centro de Madrid. Mi piso está en la (4)__________ planta, pero en mi edificio no (5)__________ ascensor. Tiene dos (6)__________, un salón-comedor y un cuarto de baño, la (7)__________ y una terraza pequeña con dos plantas.
Mi habitación preferida es (8)__________ salón (9)__________ es grande y cómodo: hay dos sofás, una (10)__________, un equipo de música, una mesa, sillas y, lo mejor, una (11)__________ con muchos libros.
La cocina es muy pequeña, solo tengo lo necesario.

C Visita a Córdoba

1 Pon las siguientes frases en un orden lógico.

- **a** Pago la cuenta. ☐
- **b** Relleno la ficha en la recepción. ☐
- **c** Paso la noche en el hotel. ☐
- **d** Subo a mi habitación. ☐
- **e** Llego al hotel. 1
- **f** Desayuno. ☐
- **g** Me marcho del hotel. ☐

2 ¿Qué se dice en estas situaciones?

1 Quieres pasar el próximo fin de semana en un hotel con tu amigo/a. Telefoneas al hotel. ¿Qué preguntas?

____

2 Quieres saber cuánto cuesta la habitación.

____

3 Quieres saber si el uso de la piscina está incluido en el precio.

____

4 Quieres saber si el IVA está incluido en el precio.

____

5 Quieres saber si se puede pagar con tarjeta de crédito.

____

3 Lee el correo de María y contesta a las preguntas.

Querido Roberto:

Te escribo esta carta desde la habitación de mi hotel en Córdoba. Mis amigos y yo estamos de viaje por Andalucía.
El hotel es estupendo, tiene de todo: restaurante, piscina, pistas de tenis... y unas vistas preciosas.
Mañana vamos de excursión por el barrio judío y visitamos la Mezquita.
Al día siguiente vamos a Sevilla, y el último día tenemos una cena de despedida en el restaurante del hotel.
Nos vemos a la vuelta.
Besos.

María

1 ¿En qué ciudad está María?

____

2 ¿Qué opina María del hotel?

____

3 ¿Qué instalaciones tiene el hotel?

____

4 ¿Qué otra ciudad piensan visitar?

____

Practica más 2

Unidades 3 y 4

1 Relaciona.

1 ¿Dónde trabaja Héctor? [c]
2 ¿A qué hora se levanta María? [ ]
3 ¿Por qué te levantas temprano? [ ]
4 ¿A qué se dedica Lucía? [ ]
5 ¿Qué desayuna David? [ ]
6 ¿Qué hacen ustedes después de comer? [ ]
7 ¿Veis la tele por la tarde? [ ]

a A las siete.
b Un café con leche y un bollo.
c En un hospital.
d Dormimos la siesta.
e Porque hago gimnasia antes de desayunar.
f No, solo por la noche.
g Es secretaria.

2 Escribe la forma correspondiente.

1 Acostarse, él _se acuesta._
2 Empezar, yo ______
3 Volver, tú ______
4 Levantarse, yo ______
5 Sentarse,Ud. ______
6 Ir, nosotros ______
7 Venir, yo ______
8 Salir, yo ______
9 Volver, nosotros ______
10 Ir, él ______
11 Empezar, ellos ______
12 Acostarse, yo ______
13 Dormir, ella ______
14 Venir,Ud. ______
15 Sentarse, yo ______
16 Ducharse, ellos ______
17 Volver, yo ______
18 Vivir, vosotros ______
19 Ser, ella ______
20 Despertarse, Uds. ______
21 Desayunar, tú ______
22 Tener, yo ______
23 Comer, nosotros ______
24 Practicar, vosotros ______

3 Completa con el verbo entre paréntesis en la forma adecuada.

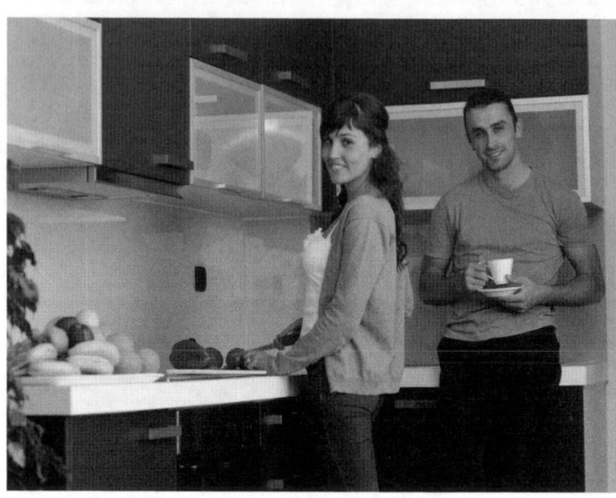

Elena y Alberto

(vivir) (1) _viven_ en Barcelona. Alberto (ser) (2)______ informático y trabaja en un banco. (Levantarse) (3)______ a las siete de la mañana, (desayunar) (4)______ y (salir) (5)______ de casa a las siete y media. (Ir) (6)______ a su trabajo en metro.
Elena (levantarse) (7)______ a las ocho y (empezar) (8)______ a trabajar a las nueve. (Ir) (9)______en coche porque la oficina está lejos de su casa.

Alberto (comer) (10)______ en un restaurante y por la tarde (ir) (11)______ a un gimnasio. Elena (salir) (12)______ de trabajar a las cinco y (volver) (13)______ a casa. Los martes y jueves (practicar) (14)______ yoga. A las nueve y media (cenar, ellos) (15)______ juntos, (ver) (16)______ un poco la tele o (leer) (17) ______ y después (acostarse) (18) ______ .

4 Completa con las preposiciones.

de (x 3)   a (x 4)   en (x 2)   hasta

Raquel se levanta todos los días (1) *a* las 8 (2)_____ la mañana. Toma un desayuno rápido y sale (3)_____ casa (4)_____ las ocho y media. Va a la oficina (5)_____ autobús. Solo trabaja media jornada, (6)_____ nueve (7)_____ tres. Vuelve a casa (8)_____ el coche de un compañero. Llega (9)_____ las tres y media, come y a las cuatro y media duerme la siesta (10)_____ las cinco.

5 Completa las frases con información verdadera sobre ti.

1 Los días laborables yo me levanto __________ y desayuno __________.
2 Los sábados me levanto __________ y desayuno __________.
3 A mediodía como en __________.
4 Por la tarde __________.
5 Ceno a las __________ y después __________.

6 Relaciona.

1 ¿Cuántos dormitorios tiene tu casa? *g*
2 ¿Tienes jardín? ☐
3 ¿Dónde está el ordenador? ☐
4 ¿En qué piso vives? ☐
5 ¿Dónde están los niños? ☐
6 ¿Hay mucha gente en el cine? ☐
7 ¿Qué estudias? ☐
8 ¿Tienen habitaciones libres? ☐

a Sí, delante de la casa.
b En el dormitorio.
c Están arriba, jugando.
d Medicina.
e En el tercero izquierda.
f Sí, claro, ¿cuántas necesita?
g Tres.
h No, hoy no hay mucha.

7 Completa la tabla.

1 el secretario	la secretaria
2 el	la dependienta
3	la presidenta
4 el recepcionista	
5 el cocinero	
6	la médica
7 el estudiante	
8 el	la periodista

8 Forma la preguntas.

¿Dónde / hay / está / están...

~~el cuarto de baño?~~ • un supermercado?
la parada del autobús n.° 5?
una silla para sentarme? • la casa de Miguel?
una estación de metro? • los libros de Julia?

¿Dónde está el cuarto de baño?

____
____
____
____
____
____

9 Completa con las palabras del recuadro.

reserva *habitación* ***doble*** *por noche*
habitaciones libres *precio*

• Hotel Medina. ¿Dígame?
▪ Hola, buenos días, ¿puede decirme si tiene __________ para Semana Santa?
• Sí, ¿qué desea, __________ o individual?
▪ Dos individuales, si es posible, pero ¿qué __________ tienen?
• Son 60 euros __________ y por __________.
▪ Muy bien, quiero hacer la __________.

5 Comer

A Comer fuera de casa

1 Mira los dibujos y escribe las comidas favoritas de Amalia y Juan.

Amalia

1 *judías verdes*
2 __________
3 __________
4 __________

Juan

1 __________
2 __________
3 __________
4 __________

2 Localiza la palabra que no pertenece a su grupo.

1 sopa, gazpacho, *merluza*, ensalada.
2 escalope, chuletas, pescado, flan.
3 arroz con leche, judías, fruta, helado.
4 espárragos, vino, cerveza, agua.
5 plátano, naranja, manzana, escalope.

3 Ordena las siguientes frases. Después utilízalas para completar la conversación en el restaurante.

1 postre / de / fruta del tiempo / dos / los / para.
De postre, fruta del tiempo para los dos.
2 quiero / de / yo / primero / sopa de fideos.
____
3 merluza / segundo / quiero / de.
____
4 ensalada / yo / y.
____
5 yo / pues / pollo asado.
____
6 agua / beber / para / por favor.
____

CAMARERO: Buenas, ¿qué van a tomar de primero?
JORGE: __________
ANA: __________
CAMARERO: ¿Y de segundo?
JORGE: __________
ANA: __________
CAMARERO: ¿Qué quieren para beber?
JORGE: __________
CAMARERO: ¿Y de postre?
ANA: __________
CAMARERO: Gracias, señores.

B ¿Te gusta el cine?

1 Observa las habitaciones de Carmen y de Pablo. ¿Qué actividades les gusta realizar en su tiempo libre?

esquiar • escuchar música clásica • escuchar rock montar en bicicleta • navegar por internet • ver la televisión hacer fotos • estar con animales • leer cuidar las plantas • ir al cine

Carmen

Pablo

1 A Carmen le gusta la música clásica.
2 A Pablo ____________________
3 A los dos ____________________
4 ____________________
5 ____________________
6 ____________________
7 ____________________
8 ____________________
9 ____________________
10 ____________________
11 ____________________

2 ¿Qué aficiones compartes y no compartes con Pablo y Carmen?

1 A mí ____________________
2 A mí no ____________________
3 ____________________
4 ____________________

3 Ordena las siguientes preguntas. Después, contéstalas.

1 ¿a tus amigos / gusta / informática / les / la?
¿A tus amigos les gusta la informática?
Sí, les gusta mucho. / No, no les gusta.
2 ¿ciclismo / a ti y a tu compañero / gusta / os / el?
____
____
3 ¿animales / te / los / gustan?
____
____
4 ¿ver / le / televisión / gusta / la / a tu amigo?
____
____
5 ¿el / terror / gusta / te / cine / de?
____
____
6 ¿paella / te / la / gusta?
____
____

4 Escribe frases con el verbo "gustar" y expresa tus gustos como en el ejemplo.

1 zumo de naranja
Me gusta / no me gusta el zumo de naranja.
2 los plátanos
___
3 las verduras
___
4 la leche
___
5 los cacahuetes
___
6 las patatas
___
7 el café
___
8 el té
___

5 Reacciona según tus gustos con : a mí también/tampoco o a mí sí/no.

1 Me gusta mucho ir al cine.
___
2 No me gusta nada la música latina.
___
3 Me gustan las películas de ciencia ficción.
___
4 No me gusta bailar.
___
5 Me gusta leer libros de viajes.
___
6 Me gusta ver partidos de fútbol en la tele.
___
7 No me gusta comer en restaurantes.
___
8 Me gusta ir de compras.
___

C Receta del Caribe

1 Completa la tabla con el imperativo de los verbos.

INFINITIVO	IMPERATIVO	
	tú	**usted**
Hablar	*habla*	*hable*
Trabajar		
Comer		
Abrir		
Beber		

2 Completa la receta con el imperativo de los verbos del recuadro.

añadir ~~*lavar*~~ *servir* *mezclar* *cortar*

1 *Lava* la lechuga y los tomates.
2 ___ las verduras en trozos pequeños.
3 ___ el atún a las verduras troceadas.
4 ___ el aceite, el vinagre y la sal en una taza.
5 ___ la ensalada mezclada con el aliño anterior.

ENSALADA MEDITERRÁNEA

Ingredientes
- Una lechuga.
- Dos tomates.
- Una cebolla pequeña.
- Una lata de atún.
- Aceite, vinagre y sal.

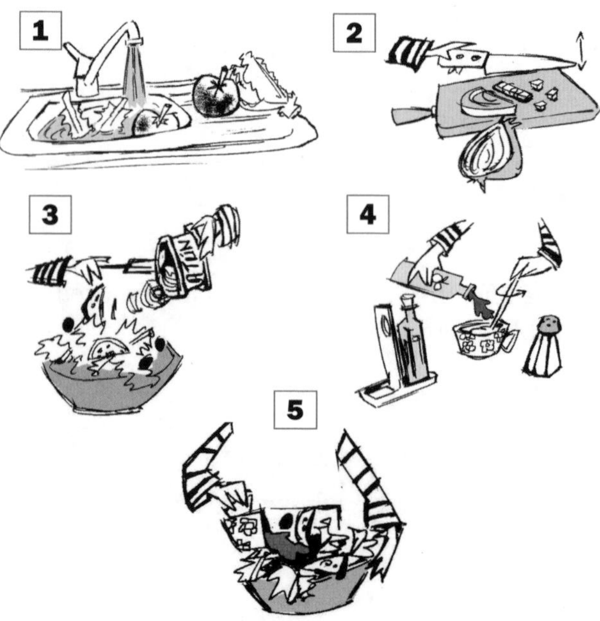

3 Completa las frases con el imperativo de los siguientes verbos entre paréntesis.

CONSEJOS

Aprender a cocinar puede ser fácil y divertido, pero recuerda siempre lo siguiente:

1 Prepara (preparar) todos los ingredientes, antes de empezar.
2 ________ (comprar) siempre productos de primera calidad.
3 ________ (elaborar) siempre un menú equilibrado.
4 ________ (usar) siempre aceite de oliva.
5 ________ (añadir) algún detalle imaginativo a tus platos.
6 ________ (recoger) bien la cocina, una vez terminado tu trabajo.

4 Clasifica estos platos en la carta del Menú:

helado • sopa de fideos • vino blanco
fruta • ensalada mixta • cerveza
merluza a la plancha • escalope de ternera
pollo asado • agua mineral • flan
chuletas de cordero • vino tinto • gazpacho
judías verdes con jamón

Restaurante Miramar

Menú del día 10 €

Primer plato

____
____
____
____

Segundo plato

____
____
____
____

Postre

____
____
____

Bebidas

____
____
____

5 6 Lee y escucha el siguiente texto y contesta a las preguntas.

LA DIETA MEDITERRÁNEA

¿En qué se basa esta cultura gastronómica? Se basa, principalmente, en el aceite de oliva, el pan y el vino. Con estos productos básicos se alimentan los pueblos mediterráneos desde hace más de cinco mil años.

Los países mediterráneos consumen como grasa principal el aceite de oliva, que favorece la disminución del colesterol. También consumen gran cantidad de pescados azules, legumbres y frutas, y menos carne.

Las primeras investigaciones sobre esta dieta se centran en Grecia y en España, donde se estudian las características de su cocina, sus ingredientes, técnicas de cocción, etc., y se llega a la conclusión de que la dieta de estos países es la ideal para mantener una buena salud.

1 ¿Cuáles son los alimentos básicos de la dieta mediterránea?
____
2 ¿Desde cuándo utilizan estos alimentos los pueblos mediterráneos?
____
3 ¿Por qué es bueno para la salud el aceite de oliva?
____
4 ¿Qué alimentos sustituyen a la carne en la dieta mediterránea?
____
5 ¿En qué países se basan las primeras investigaciones sobre esta dieta?
____

6 El barrio

A ¿Cómo se va a Goya?

1 Completa los diálogos con los verbos del recuadro en el tiempo adecuado.

cambiar • tomar • ir • bajar

1 **A** Perdona, ¿cómo se *va* de Moncloa a Goya?
   B Mira, ________ la línea 3 en dirección Legazpi, ________ en la primera estación, Argüelles, y allí ________ a la línea 4.
2 **A** Perdone, ¿cómo ________ de Sol a Nuevos Ministerios?
   B ________ la línea 2 en dirección Cuatro Caminos, allí ________ a la línea 6, es la primera estación
3 **A** Perdona, ¿cómo se ________ de Goya a Argüelles?
   B Es muy fácil, ________ la línea 4 y ________ en la última estación.

2 Completa con las siguientes preposiciones.

a (al) *de* *en* *desde* *hasta*

1 Las estaciones *de* metro abren *a* las 6 ________ la mañana.
2 Quiero un billete ________ diez viajes.
3 ¿Cómo se va ________ la plaza Mayor?
4 ________ Argüelles ________ Metropolitano hay tres estaciones.
5 Yo voy ________ casa ________ trabajo ________ metro.
6 Maribel va ________ su trabajo ________ coche.
7 Luis, ¿puedes venir ________ mi oficina, por favor?
8 Mis vecinos salen ________ su casa ________ las 7.
9 Trabajo ________ las siete ________ la tarde.
10 ________ mi casa ________ la oficina tardo una hora.

3 7 Escucha la conversación y señala verdadero (V) o falso (F).

1 Beatriz está en su hotel. ☐
2 Marta trabaja lejos de la plaza de España. ☐
3 Marta espera a Beatriz en su trabajo. ☐

4 7 Escucha otra vez y marca en el plano el recorrido del que están hablando.

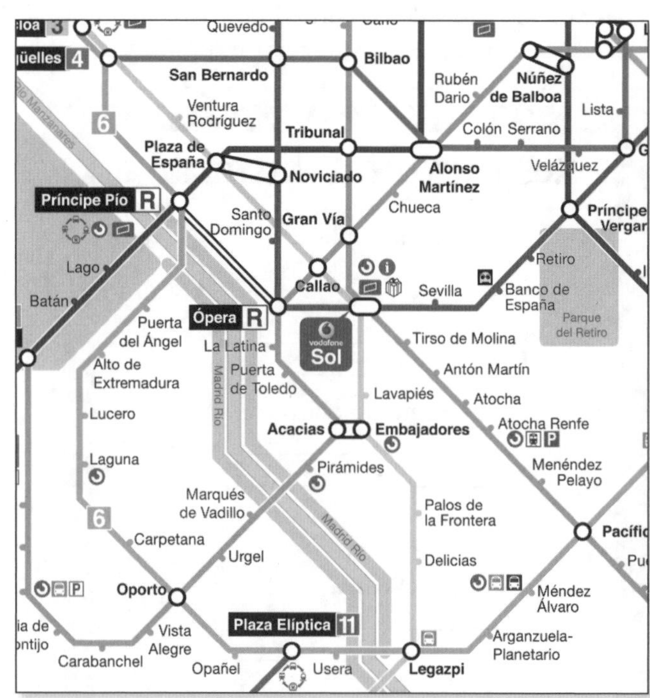

B Cierra la ventana, por favor

1 Relaciona.

1 Pon
2 Habla
3 Ven
4 Haz
5 Cierra
6 Pide
7 Enciende
8 Recoge
9 Tuerce
10 Sigue

a más despacio
b la cuenta
c la luz
d la puerta
e todo recto
f aquí
g la televisión
h los ejercicios
i la mesa
j a la derecha

2 Transforma las frases anteriores.

1 *¿Puedes poner la televisión?*
2 __________
3 __________
4 __________
5 __________
6 __________
7 __________
8 __________
9 __________
10 __________

3 Completa la tabla.

INFINITIVO	PRESENTE	IMPERATIVO
cerrar	cierro	cierra
empezar		
encender		
seguir	sigo	sigue
pedir		
guardar	guardo	

4 Forma el imperativo.

1 Cerrar / el libro.
Cierra el libro.
2 Empezar / a trabajar.
____
3 Encender / el ordenador.
____
4 Christian / sentarse allí.
____
5 Seguir / por aquí (Ud.).
____
6 Pedir / dinero / a tus padres.
____
7 Acostarse / pronto.
____
8 Levantarse ya / son las diez.
____
9 Darme / un vaso de agua.
____
10 Dejarme / tu coche.
____
11 Darme / su pasaporte (Ud.).
____

5 Jaime tiene que ordenar la habitación. Escribe las instrucciones que le da su madre.

Guardar la ropa limpia en el armario.
Poner la ropa sucia en la lavadora.
Hacer la cama.
Colocar los libros en la estantería.
Poner los CD en su sitio.

1 *Guarda la ropa limpia en el armario.*
2 __________
3 __________
4 __________
5 __________

C Mi barrio es tranquilo

1 Escribe la letra adecuada.

a b c d

1 Está al lado del cuaderno gris grande y es de otro color. ☐
2 Está a la izquierda de otro cuaderno que también es pequeño. ☐
3 Es grande y está entre un cuaderno grande y uno pequeño. ☐
4 Es blanco y está a la derecha de un cuaderno gris. ☐

2 Completa con *es / está*.

ROSA: ¿Tu piso (1) es grande?
ANDRÉS: No, solo tiene 40 m^2, (2)_______ muy pequeño, pero me gusta porque (3)_______ en un barrio muy céntrico.
ROSA: ¿(4)_______ cerca del trabajo?
ANDRÉS: Sí, muy cerca. Solo tiene un problema: que mi calle (5)_______ muy ruidosa y no duermo bien por las noches. ¿Y tu piso, cómo (6)_______?
ROSA: Pues (7)_______ muy tranquilo y tiene mucha luz, me encanta. Pero tengo un problema: (8)_______ muy lejos del trabajo. Tardo casi una hora en llegar todos los días.

3 Escribe el adjetivo contrario.

1 largo corto
2 rápido _______
3 alto _______
4 grande _______
5 fácil _______
6 ruidoso _______
7 barato _______
8 bonito _______
9 ancho _______
10 claro _______
11 delgado _______

4 De estas frases solo dos son correctas. Busca los errores en las frases incorrectas y corrígelas.

1 Salamanca está una ciudad muy bonita, tiene muchos monumentos importantes. Es.
2 Mi casa es en un barrio muy tranquilo y silencioso. _______
3 Este problema de matemáticas es muy difícil. _______
4 Roberto está rubio, delgado y bastante alto, está ahora en el colegio. _______
5 Fumar está malo para la salud. _______
6 Esa estación de metro es al lado de mi casa y la parada del autobús está enfrente. _______
7 Los alumnos son en la clase de historia. _______
8 ¿Está cerca de aquí la estación del metro? _______
9 Estos ejercicios no son bien. _______
10 ¿Es tu hermano en tu casa? _______
11 Mi correo electrónico es lleno. _______
12 La taza es vacía. _______
13 Mi hermano es en cama, porque es enfermo. _______
14 Este ejercicio no es bien. _______
15 Este libro está muy bueno. _______

5 Relaciona.

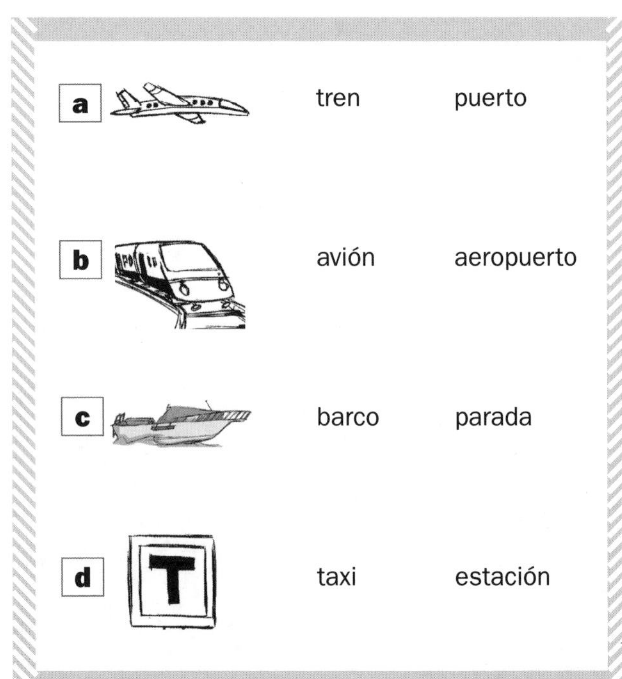

6 Haz la encuesta.

ENCUESTA

1 ¿Qué medio de transporte utilizas normalmente?
- a metro ☐
- b autobús ☐
- c coche ☐
- d otro ☐

2 ¿Cuánto dinero gastas aproximadamente en transporte durante un mes?
- a 0-10 € ☐
- b 11-20 € ☐
- c más de 21 € ☐

3 ¿Qué medio de transporte prefieres para hacer viajes largos?
- a avión ☐
- b coche ☐
- c tren ☐
- d barco ☐

4 ¿Crees que el transporte público es...?
- a barato ☐
- b sucio ☐
- c cómodo ☐
- d rápido ☐

5 ¿Cuántos kilómetros andas al día aproximadamente?
- a 0-1 km ☐
- b 2-4 km ☐
- c 5-7 km ☐
- d más de 7 km ☐

7 8 ¿Te gusta la música latina? Escucha estos cuatro ritmos musicales. ¿Puedes relacionarlos con sus nombres?

a tango ________ **b** ranchera ________ **c** flamenco ________ **d** salsa ________

8 Completa el texto con estas palabras.

ritmos ~~*cultura*~~ *cantantes* *baila* *salsa* *canciones* *popular*

MÚSICA LATINA

La música es un elemento muy importante de la (1) cultura hispanoamericana. En América se mezclan los (2)__________ indígenas con los africanos y con los que llevaron los españoles.

Además del tango, la ranchera o la (3)__________, son famosos el merengue, la cumbia, el bolero y, sobre todo, la bachata, que se (4)__________ en la República Dominicana y en muchos otros lugares del mundo. La bachata aparece en los pueblos pero en los años 70 se hace también muy (5)__________ en las ciudades.

Los temas de estas (6)__________ hablan casi siempre de amor y se acompañan de instrumentos de cuerda y percusión. Uno de los (7)__________ más famosos es Juan Luis Guerra.

9 Después de corregir el texto, contesta verdadero (V) o falso (F).

1. El tango, la salsa y el flamenco son ritmos típicos de Hispanoamérica. ☐
2. La bachata nace en las ciudades. ☐
3. Las canciones de bachata suelen tratar de amor. ☐
4. La bachata se toca solo con un instrumento. ☐

Practica más 3

Unidades 5 y 6

1 Busca en esta sopa de letras el nombre de los alimentos.

P	E	H	U	E	V	O	R	Q
L	I	M	O	N	M	Y	P	U
A	G	U	H	C	E	L	O	E
T	O	M	A	T	E	B	L	S
A	P	A	T	A	T	A	L	O
N	A	R	A	N	J	A	O	Z
O	P	J	A	M	O	N	R	X

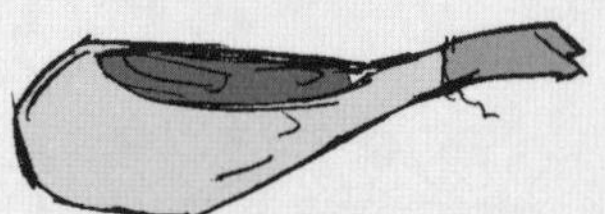

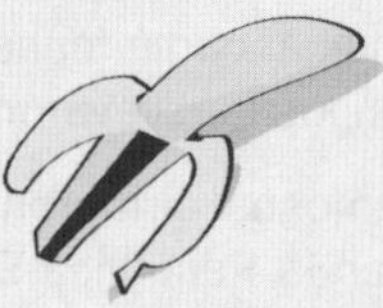

2 Relaciona estos ingredientes con su plato.

1 arroz	**a** flan
2 huevo	**b** gazpacho
3 fideos	**c** tortilla
4 lechuga	**d** ensalada
5 tomate	**e** sopa
6 patatas	**f** paella
7 leche	
8 aceite	

3 Escribe debajo el nombre de la actividad.

1 ______________________

2 ______________________

3 ______________________

4 ______________________

5 ______________________

6 ______________________

7 ______________________

8 ______________________

9 ______________________

10 ______________________

4 Mira la tabla y escribe las frases correspondientes.

	ANA	RAÚL
El cine	✓	✓
Ir de compras	✓	×
La música clásica	×	✓
Nadar	×	✓
Leer	✓	✓
Andar	×	✓
Viajar	✓	✓
Bailar	✓	✓
Internet	✓	×
Las motos	×	×
Las plantas	×	✓
El fútbol	×	✓

1 *A Ana y a Raúl les gusta el cine.*
2 *A Ana le gusta ir de compras, pero a Raúl no.*
3 ______
4 ______
5 ______
6 ______
7 ______
8 A los dos ______
9 ______
10 ______
11 ______
12 ______

5 ¿Qué verbos son regulares y cuáles irregulares? Escribe el imperativo (*tú*) de cada uno.

~~terminar~~ • ~~empezar~~ • hablar • abrir • venir
hacer • mirar • pasar • poner
cerrar • coger • dar • tomar • escribir
sentarse • comer • decir • volver

VERBOS REGULARES	VERBOS IRREGULARES
infinitivo / imperativo	infinitivo / imperativo
terminar / termina	*empezar / empieza*

6 Escribe otra vez el párrafo siguiente con los adjetivos y adverbios contrarios. Haz los cambios necesarios para que el texto tenga sentido.

Yo vivo en una ciudad muy grande y ruidosa. Los edificios son muy modernos y altos. Las calles son anchas y hay muchos coches. El piso donde vivo es pequeño, y el alquiler caro, porque está cerca del centro. Hay muchas tiendas, pero son caras para mí.

Yo vivo en una ciudad muy pequeña ______
______
______
______
______

7 Completa con el verbo *ser* o *estar*.

1 Mi calle *es* ancha y larga.
2 El piso de Enrique no me gusta porque ______ pequeño y ______ muy lejos del centro.
3 Estos pisos ______ demasiado caros.
4 La casa de mi abuela ______ en el barrio antiguo de Barcelona.
5 Comer verduras y pescado ______ muy bueno para la salud.
6 **A** Alberto, estos problemas ______ mal.
B Es que ______ muy difíciles.
7 **A** Hola, Alicia, ¿qué tal ______?
B Bien, gracias.
8 La parada del autobús ______ enfrente de mi casa.
9 Mis vecinos ______ de Venezuela.
10 Rodolfo ______ en Caracas de vacaciones.

8 Relaciona.

1 ¿Te gusta la carne? [e]
2 ¿Qué quieren de primero? [ ]
3 ¿Y de postre? [ ]
4 ¿Qué haces los domingos? [ ]
5 ¿Puedes venir un momento? [ ]
6 Siéntese, por favor. [ ]
7 ¿Qué quieren beber? [ ]
8 ¿Os gusta el cine? [ ]

a Un flan, por favor.
b Voy a bailar.
c Vino tinto y agua.
d A mí sí, pero a él no.
e No mucho, prefiero el pescado.
f Sí, ahora voy.
g Gracias.
h Sopa de pescado y ensalada.

7 Salir con los amigos

A ¿Dónde quedamos?

1 Ordena las siguientes conversaciones. Después escucha y comprueba.

1

MARÍA: ¿A qué hora te viene bien?
RICARDO: De acuerdo. ¡Hasta mañana!
MARÍA: No, mejor a las seis y media.
RICARDO: Lo siento, hoy no puedo, tengo que ir de compras con mi hermano. ¿Te parece bien mañana?
MARÍA: ¿Por qué no vamos a tomar algo después de trabajar?
RICARDO: ¿A las seis?

MARÍA: *¿Por qué no vamos a tomar algo después de trabajar?*
RICARDO:

2

DANIEL: ¿Y si nos tomamos un café antes?
CARMEN: No puedo, lo siento. Voy a cenar con unos amigos.
DANIEL: ¿Vamos al cine esta noche?
CARMEN: Bueno, de acuerdo. ¿Vamos al Café Central?
DANIEL: Estupendo. Nos vemos allí a las cinco.

DANIEL:

2 Imagínate que eres Ricardo o Carmen. Escribe diferentes razones por las que no puedes quedar para salir.

3 Carolina y Pedro están en Radio Centro hablando sobre sus espectáculos favoritos. Escucha sus comentarios y di si las frases siguientes son verdaderas o falsas.

1 A Pedro le gusta ir a los conciertos de rock. ☑ V
2 A Carolina le gusta la música moderna. ☐
3 No les gusta volver a casa andando. ☐
4 A Pedro le gustan los espectáculos musicales. ☐
5 A Carolina no le gusta la ópera. ☐
6 A ellos no les gusta ir al cine. ☐

4 Completa las siguientes conversaciones telefónicas con las frases del recuadro.

Ahora se pone *No está en este momento*
¿De parte de quién?

1 A ¿Dígame?
B Buenas tardes, ¿está Ramón?
A (1) ____________________
B Soy Arturo.

2 A ¿Sí?
B ¿Está Manuel?
A Un momento. (2) ____________________

3 A ¿Diga?
B *¿Está Vicente, por favor?*
A (3) ____________________ ¿De parte de quién?

5 Relaciona cada pregunta con su respuesta.

1 ¿Y el domingo? ☐
2 Entonces, ¡hasta el domingo! ¿De acuerdo? ☐
3 ¿A qué hora quedamos? ☐
4 ¿Está Enrique? ☐
5 Vale. ¿Vamos en mi coche o en el tuyo? ☐
6 Soy Pilar. Te llamaba para ver si vienes este fin de semana a la sierra. ¿Qué te parece el sábado? [d]

a Pues, podemos quedar a las 11.
b Sí, soy yo.
c Podemos ir en el mío.
d No, ese día no puedo. Viene mi hermano a comer a casa.
e De acuerdo, nos vemos el domingo.
f Sí, ese día me viene bien.

6 Escribe las preguntas para las siguientes respuestas.

1 *¿Está Pilar?*
No, Pilar no está. Está trabajando.
2 ____________________
Puedes llamarla a las 3 de la tarde.
3 ____________________
Lo siento, mañana no puedo ir al cine.
4 ____________________
No, las seis es un poco pronto; mejor a las ocho.
5 ____________________
(Quedamos) a las cinco.
6 ____________________
(Quedamos) en la puerta de mi casa.

7 Lee el texto y di si las frases siguientes son verdaderas o falsas.

La noche madrileña

Cerca de la Puerta del Sol nos encontramos con una de las zonas más populares de Madrid: la plaza de Santa Ana y la calle de las Huertas. Barrio de escritores como Cervantes, Lope de Vega o Quevedo, es en la actualidad una zona en la que se pueden encontrar al mismo tiempo teatros, cervecerías, bares de tapas, restaurantes y locales de copas, que están abiertos hasta altas horas de la noche.

Su ambiente es una mezcla de edades y procedencias, y es una buena opción si lo que quieres es disfrutar de la noche madrileña.

La plaza de Santa Ana es el punto de encuentro de gran cantidad de personas que luego se reparten por la calle de las Huertas y alrededores.

Plaza de Santa Ana

1 La Puerta del Sol está en Madrid. ☐
2 El barrio donde vivió Cervantes está cerca de la Puerta del Sol. ☐
3 Cervantes, Lope de Vega y Quevedo no vivieron en la misma ciudad. ☐
4 No hay restaurantes en la calle de las Huertas. ☐
5 En esta zona de Madrid se reúnen personas mayores y jóvenes. ☐
6 La gente queda a menudo en la plaza de Santa Ana. ☐

B ¿Qué estás haciendo?

1 Mira el cuadro de *Las meninas*. ¿Qué están haciendo los personajes?

1 Velázquez está pintando (pintar).
2 Las meninas ___________ (jugar) con la princesa.
3 La princesa ___________ (mirar) al perro.
4 El perro ___________ (descansar).
5 Los reyes ___________ (ver) la escena.
6 Un hombre ___________ (salir) de la habitación.

2 Subraya la forma apropiada del verbo.

1 Soy vegetariano. No como / estoy comiendo carne.
2 ¿Dónde está Juan? *Hace / Está haciendo* la comida.
3 ¿Qué periódico *lees / estás leyendo* últimamente?
4 Todas las mañanas *hago / estoy haciendo* deporte.
5 No te entiendo, no *hablo / estoy hablando* francés.
6 ¿Cuántos años *tienes / estás teniendo?*
7 Lo siento, no puede ponerse en este momento porque *duerme / está durmiendo.*
8 No podemos hablar con él ahora. *Trabaja / Está trabajando* en este momento.
9 Juan no está en la biblioteca. *Estudia / está estudiando* en casa de una amiga.

3 Completa el texto con la forma correcta del verbo (presente o *estar* + gerundio).

Pepa (1) *vive* (vivir) en Badajoz, pero en este momento (2)___________ (pasar) unos días en Barcelona con unos amigos. Esta semana Pepa y sus amigos (3)___________ (visitar) los monumentos más importantes de la ciudad.

Hoy, como hace buen tiempo, sus amigos (4)___________ (bañarse) en la playa. Barcelona (5)___________(tener) unas playas preciosas, pero a Pepa no (6)___________ (gustar) la playa. Ella y su amiga Lara (7)___________ (ver) el Museo Picasso. Luego, por las noches todos juntos (8)___________ (cenar) en algún restaurante del puerto.

4 Pon las palabras en el orden correcto.

1 para / me / un / preparando / examen / estoy.
Me estoy preparando para un examen.
2 ¿haciendo / qué / ahora / estás?
____
3 un / comiendo / bocadillo / están.
____
4 haciendo / cena / estamos / la.
____
5 está / marido / trabajando / mi.
____
6 semana / mucho / esta / lloviendo / está.
____
7 están / película / mis / viendo / amigos / una.
____
8 estamos / y / Claudia / proyecto / nuevo / yo / trabajando / en / un.
____
9 cuarto / bañándose / las / en / niñas / el / están / de / baño / grande.
____
10 ¿qué / haciendo / los / están / su / niños / habitación / en?
____

5 ¿Qué están haciendo? Utiliza la forma correcta del verbo con el pronombre reflexivo correspondiente.

1 María / lavarse la cara.
María se está lavando la cara.
2 Luis / afeitarse.
___
3 Mi hermano / ducharse.
___
4 (yo) / peinarse.
___
5 Susana y Rosa / pintarse los labios.
___
6 Miguel / bañarse.
___
7 Mi hijo / peinarse.
___
8 (él) / cepillarse los dientes.
___
9 Mi madre / secarse el pelo en el cuarto de baño.
___
10 Mis hermanos / vestirse para ir al concierto.
___

C ¿Cómo es?

1 ¿Son verdaderas o falsas estas frases sobre el cuadro *Las meninas* de Velázquez?

1 El pintor tiene el pelo corto. [F]
2 La infanta lleva gafas. ☐
3 Las meninas son rubias. ☐
4 Una menina es rubia. ☐
5 El pintor tiene barba y bigote. ☐
6 El pintor es calvo. ☐
7 La infanta es alta. ☐

2 Describe, utilizando las palabras del recuadro, a los siguientes personajes del cuadro.

pelo largo • pelo rubio • barba
pelo moreno • bigote • gafas
joven • jóvenes • mayor • alto

Velázquez ___
___
___

La infanta Margarita ___
___
___

Las meninas ___
___
___

3 Escribe los contrarios.

1 tacaño ___
2 ___ hablador
3 simpático ___
4 serio ___
5 ___ educado

4 ¿Cómo crees que son estas personas? Utiliza los adjetivos de los ejercicios anteriores.

El hombre: ___
___
___

La mujer: ___
___
___

8 De vacaciones

A Por favor, ¿para ir a la catedral?

1 Relaciona las preguntas con las respuestas.

1 ¿Para qué vas a correos? ☐
2 ¿Para qué vas a la farmacia? ☐
3 ¿Para qué vas a la estación? ☐
4 ¿Para qué vas al estanco? ☐
5 ¿Para qué vas al mercado? ☐
6 ¿Para qué vas al quiosco? ☐

a Para comprar medicinas.
b Para comprar el periódico.
c Para coger el tren.
d Para comprar carne y pescado.
e Para enviar una carta.
f Para comprar sellos.

2 Mira el plano de calles y completa las conversaciones.

1 A Por favor, ¿para ir a la iglesia?
B Gire la primera a la derecha y después tome la ______________.

2 A ¿Puede decirme cómo se va a la estación de autobuses, por favor?
B Siga todo recto y tome ______________ y después gire por la segunda a la izquierda.

3 A ¿El hotel Colón, por favor?
B Siga recto y tome ______________ y ______________ ______________.

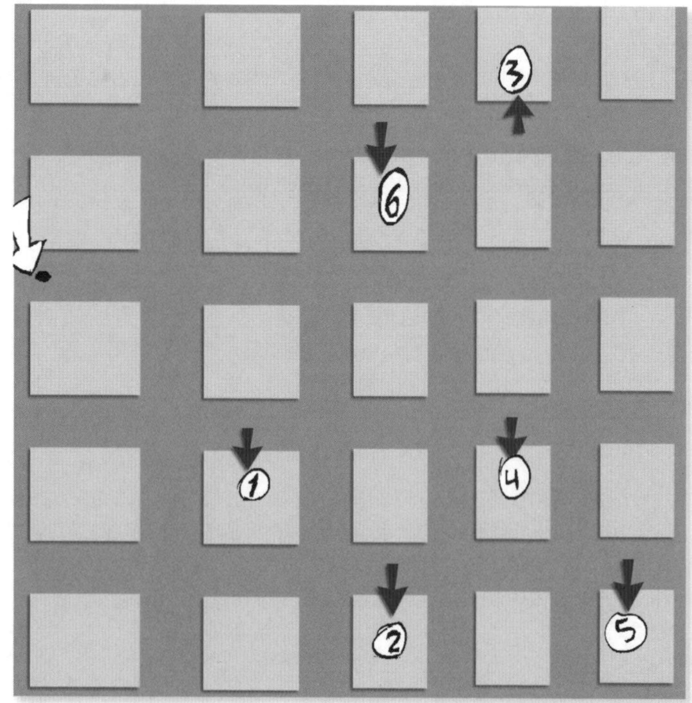

3 Escribe tres conversaciones más como las del ejercicio 2.

1 A quiere ir a un parque.
A ______________
B ______________
____

2 A quiere ir al teatro.
A ______________
B ______________
____

3 A quiere ir a un restaurante.
A ______________
B ______________
____

1 Iglesia **2** Estación de autobuses **3** Hotel Colón **4** Restaurante **5** Parque **6** Teatro

4 Completa las frases con las preposiciones del recuadro.

a (x 4) *en* (x 3) *de* (x 6) *hasta* (x 2) *al* (x 2) *por* (x 2)

1 Hay una farmacia *en* la calle Santa Marta.
2 Para encontrar la estación, siga _____ el final _____ la calle.
3 El cine está _____ la derecha del restaurante.
4 La iglesia _____ San Juan es un edificio muy bonito.
5 Hay un hotel _____ la primera calle _____ la izquierda.
6 _____ la puerta del Sol hay una estación _____ metro.
7 El mercado está _____ lado _____ la estación _____ tren.
8 ¿Cómo se va _____ la plaza Mayor?
9 Vaya _____ la calle _____ Santo Domingo _____ llegar _____ cine Avenida.
10 Gire _____ la segunda _____ la derecha.

5 Lee esta poesía y relaciona los dibujos con los nombres.

La plaza tiene una [torre],
la [torre] tiene un [balcón],
el [balcón] tiene una [dama],
la [dama], una blanca [flor].
Ha pasado un [caballero],
¿quién sabe por qué pasó?
y se ha llevado la plaza con su [torre] y
su [balcón], con su [balcón] y su [dama],
su [dama] y su blanca [flor].

Antonio Machado

a Dama **b** Caballero **c** Torre **d** Balcón **e** Flor

1 ☐ 2 ☐ 3 ☐ 4 ☐ 5 ☐

B ¿Qué hizo Rosa ayer?

1 Completa la tabla.

INFINITIVO	PRETÉRITO INDEFINIDO	
	yo	el / ella
ver	*vi*	*vio*
ir	fui	
		comió
escuchar		
	leí	
empezar		
	estuve	
	jugué	
salir		
	viví	
nacer		
		trabajó

2 Relaciona las frases. Pon el verbo de *A* en presente y el de *B* en pretérito indefinido.

A.
1 Normalmente *trabajo* (trabajar) ocho horas al día, pero [c]
2 Ana, normalmente, _______ (ir) en coche al trabajo, pero ☐
3 Mateo _______ (ver) la televisión por las noches, pero ☐
4 Ana y Mateo _______ (ir) a la playa los fines de semanas, pero ☐
5 Normalmente _______ (llover) mucho en invierno, pero ☐
6 Mateo y yo normalmente _______ (ir) de *camping* en agosto, pero ☐

B.
a el verano pasado _______ (estar) en un hotel.
b el fin de semana pasado _______(jugar) al tenis.
c ayer *empecé* (empezar) a las 9 de la mañana y terminé a las 9 de la noche.
d el año pasado _______ (nevar) mucho.
e ayer _______ (ir) en autobús.
f ayer por la noche _______ (escuchar) música.

3 Completa la conversación con el pretérito indefinido de los verbos del recuadro.

A Ayer fue mi cumpleaños. ¡Ya tengo 30 años!
B Vaya, ¡felicidades! ¿Dónde (1) estuviste (estar)?
A (2)_______ (ir) a un restaurante italiano con mis amigos.
B ¿Qué (3)_______ (comer / vosotros)?
A Todos (4)_______ (pedir) pasta.
B ¿Qué tal lo (5)_______ (pasar)?
A Nos lo (6) _______ (pasar) muy bien y nos (7)_______ (reír) mucho. ¿Cuándo es tu cumpleaños?
B (8)_______ (ser) ayer.
A ¡Anda! ¡Qué casualidad! ¡Muchas felicidades!
B ¡Gracias!

4 Mira la agenda de Guillermo. Ordena las preguntas y contéstalas.

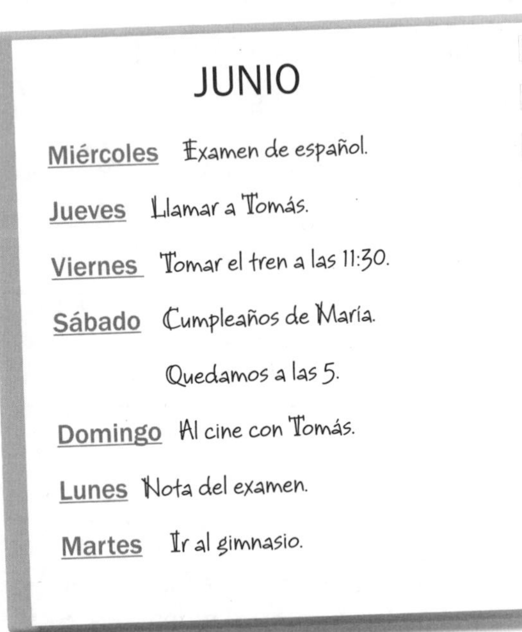

JUNIO
Miércoles Examen de español.
Jueves Llamar a Tomás.
Viernes Tomar el tren a las 11:30.
Sábado Cumpleaños de María.
Quedamos a las 5.
Domingo Al cine con Tomás.
Lunes Nota del examen.
Martes Ir al gimnasio.

1 ¿por / llamó / a / teléfono / quién / jueves / el?
____
2 ¿tomó / qué / tren / el / día?
____
3 ¿hora / tren / a / salió / qué / el?
____
4 ¿fue / el / sábado / de / cumpleaños / quién / el?
____
5 ¿hora / quedaron / qué / a?
____
6 ¿fue / el / quién / cine / domingo / al / con?
____
7 ¿la / examen / nota / cuándo / del / vio?
____
8 ¿el / adónde / martes / fue?
____

C ¿Qué tiempo hace hoy?

1 11 Completa con las palabras del recuadro. Después, escucha y comprueba.

avión • Más tarde • despedí • río • salieron • ~~estuve~~ • Después • Finalmente • cogí • hice

UN PAÍS MARAVILLOSO

Desde niña, siempre deseé conocer la selva. Este verano (1) estuve en Perú, un país maravilloso.

Al día siguiente de mi llegada a Lima, (2)_______ un (3)_______ a Iquitos, preciosa ciudad tropical, como sacada de una película: los mototaxis, los mercados de fruta, las casas y el (4)_______ Amazonas.

(5)_______ entramos en la selva, dispuestos a pescar pirañas, bañarme en el Amazonas, comer plátano frito…

(6)_______, paramos en un pueblo en medio de la selva. En unos segundos un montón de niños (7)_______ de sus casas y me rodearon con sus rostros sonrientes.

(8)_______, me (9)_______ unas fotos con ellos y me (10)_______ muy contenta de llevarme un recuerdo auténtico del Amazonas.

2 Corrige las frases a partir de la información del texto anterior.

1 Nunca deseé conocer la selva.

2 Al tercer día nos marchamos a Iquitos.

3 En Iquitos vimos el río Paraná.

4 En el Amazonas se pescan tiburones.

5 En la selva no nos bañamos en el río.

6 En el pueblo de la selva conocimos a un grupo de jóvenes.

7 No me llevé ningún recuerdo del Amazonas.

8 No me hice fotos con los niños.

3 ¿Qué tiempo hizo ayer en Sudamérica? ¿Y hoy, qué tiempo hace?

	Perú	México	Argentina	Brasil
Ayer	viento y lluvia	calor y nublado	frío	nublado y lluvia
Hoy	frío y nieve	lluvia	viento	frío y viento

Ayer en Perú hizo viento y llovió. Hoy hace frío y nieva.

1

2

3

4 Lee el siguiente anuncio de una revista de viajes y contesta a las preguntas.

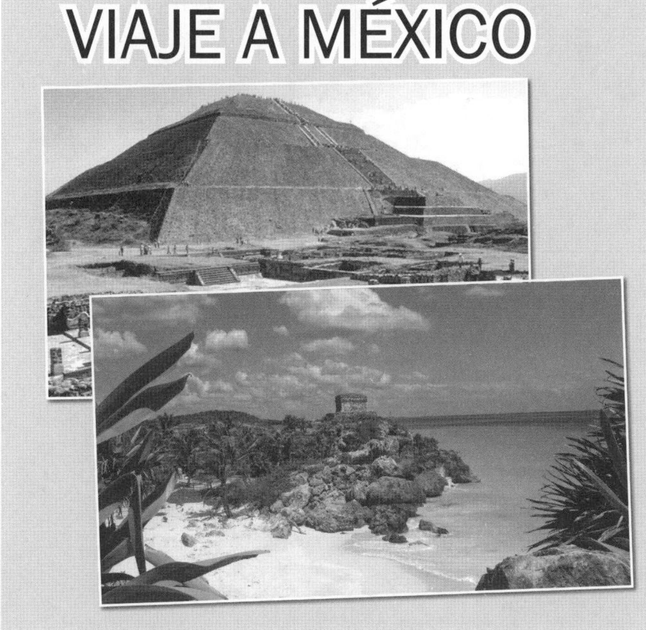

Datos básicos

Población: unos 118 millones de habitantes.
Moneda: peso mexicano (1 € = 17 pesos).
Documentación: pasaporte.

Cuándo ir

Los mejores meses del año son de octubre a mayo.

Cómo llegar

Vuelos directos diarios con Iberia y Aeroméxico.

Visitas imprescindibles

Ciudad de México: el Museo Nacional y las pirámides de Teotihuacán.
Oaxaca: ruinas de Monte Albán.
Chiapas: pirámides mayas.
Playas de Cancún.

Información: www.visitmexico.com

1 ¿Cuántos habitantes tiene México?

2 ¿Cuántos pesos mexicanos puedes comprar con 300 €?

3 ¿Qué compañías tienen vuelo directo todos los días desde España?

4 Di seis buenos meses para ir a México.

5 ¿Dónde están las pirámides de Teotihuacán? ¿Y las pirámides mayas?

6 ¿Si vas a México tienes que llevar el bañador? ¿Para qué?

Practica más 4

Unidades 7 y 8

1 Responde con *estar* + gerundio.

1 **A** Hola, Pablo, ¿qué haces?
B Nada especial, estoy viendo una peli en internet. (ver)

2 **A** ¿Dónde está Javier?
B En su habitación, ____________ porque mañana tiene un examen. (estudiar)

3 **A** Luis, ¿tienes café hecho?
B No, ahora mismo lo ____________. (hacer)

4 **A** ¿Y tus hijos, a qué ____________? (jugar)
B ____________ al fútbol en el parque. (jugar)

5 **A** ¿Y tu marido, dónde está?
B No lo sé, creo que ____________ el periódico. (leer)

6 **A** ¿Tu madre no viene con nosotras?
B No puede, ____________ la comida para todos. (hacer)

7 **A** ¿Y Clara, qué está haciendo, no la oigo?
B Tranquilo, ____________. (dormir)

8 **A** Hola, ¿está Carlos?
B Sí, pero en este momento ____________. (ducharse)

2 Completa el texto con el tiempo correcto de los verbos del recuadro. (Presente o *estar* + gerundio).

enseñar • estar • hablar • gustar
ir • comentar • preguntar • ~~comprar~~

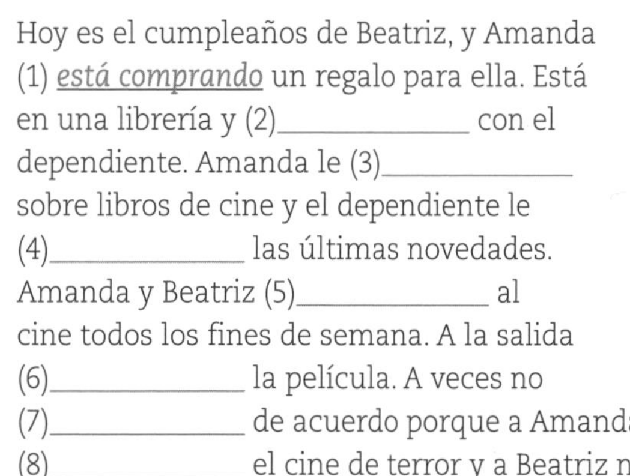
Hoy es el cumpleaños de Beatriz, y Amanda (1) *está comprando* un regalo para ella. Está en una librería y (2)____________ con el dependiente. Amanda le (3)____________ sobre libros de cine y el dependiente le (4)____________ las últimas novedades. Amanda y Beatriz (5)____________ al cine todos los fines de semana. A la salida (6)____________ la película. A veces no (7)____________ de acuerdo porque a Amanda (8)____________ el cine de terror y a Beatriz no.

3 Completa las frases con el pretérito indefinido de los verbos del recuadro.

viajar volver vivir ganar estar irse
~~tocar~~ dejar comprar alojarse

1 A Patricia le tocó la lotería.
2 Ella ________ mucho dinero.
3 Ella y sus amigos ________ de viaje.
4 (Ellos) ________ en avión.
5 (Ellos) ________ en el Caribe.
6 (Ellos) ________ en un hotel en la playa.
7 Todos ________ una experiencia inolvidable.
8 Patricia no ________ a casa hasta un mes después.
9 Patricia no ________ su trabajo.
10 Patricia ________ otro billete de lotería.

4 Completa la entrevista con el pretérito indefinido de los verbos entre paréntesis.

TVI: A usted le (1) tocó (tocar) la lotería el año pasado. ¿Cómo lo (2)__________ (celebrar)?

PATRICIA: Primero (3)__________ (llamar) a mi amiga Marisa.

TVI: ¿Cómo (4)__________ (gastar) el dinero?

PATRICIA: Me (5)__________ (ir) de compras y (6)__________ (comprar) regalos para todos mis amigos. Y la semana siguiente la (7)__________ (pasar) todos en una playa del Caribe.

5 Elige el adjetivo correcto de cada pareja.

serio/a • alegre
tacaño/a • generoso/a
hablador/a • callado/a
antipático/a • simpático/a
maleducado/a • educado/a

1 Ricardo gasta muy poco dinero. Nunca invita a sus amigos. Es un __________.
2 Nadie quiere ser su amigo. Es muy __________.
3 Nunca se ríe. Siempre está __________.
4 Manuel nunca saluda por la mañana. Es un __________.
5 Pilar no para de hablar. Es muy __________.
6 A mi hermana le gusta ayudar a los demás. Es muy __________.
7 Siempre cuenta cosas divertidas. Es muy __________.
8 Habla muy poco. Es muy __________.
9 Alejandro siempre da las gracias. Es un chico muy __________.

6 Escribe los contrarios.

1 pelo largo / pelo __________
2 ojos oscuros / ojos __________
3 mayor / __________
4 delgado / __________
5 baja / __________
6 pelo rizado / pelo __________

7 Mira el mapa del tiempo de América del Sur y di qué tiempo hace en cada una de las capitales numeradas.

1 En Caracas hace calor.
2 __________
3 __________
4 __________
5 __________
6 __________

8 Encuentra los doce meses del año en esta sopa de letras.

A	M	A	R	Z	O	B	F	C	O
B	A	C	L	I	S	E	D	L	C
N	Y	Z	O	Q	B	A	A	M	T
A	O	R	T	R	A	N	G	J	U
B	P	V	E	N	E	R	O	U	B
R	S	R	I	T	F	U	S	N	R
I	O	S	V	E	X	N	T	I	E
L	N	P	R	D	M	P	O	O	T
D	I	C	I	E	M	B	R	E	F
S	E	P	T	I	E	M	B	R	E
U	A	C	J	U	L	I	O	E	H
N	O	V	I	E	M	B	R	E	O

9 Compras

A ¿Cuánto cuestan estos zapatos?

1 Completa estas conversaciones con las palabras que faltan.

1

A ¿Puedo ayudarla?
B Sí, ¿(1) _cuánto_ cuestan estos pendientes?
A 20 euros.
B ¿Y esos de ahí, los azules?
A Esos están rebajados, (2)_________ 15 euros.
B Me los (3)_________ .
A ¿Va a pagar en efectivo o (4)_______________?

2

A Buenos días. ¿Cuánto (1)_________ la falda roja del escaparate?
B (2)_________ 40 euros.
A ¿Puedo (3)_________?
B Sí, claro, los probadores están al final del pasillo.
(...)
B ¿Qué tal le (4)_________?
A Pues no me (5)_________ mucho, lo siento, no me la (6)_________.

3

A Mira esa camiseta verde, solo (1)_________ 10 euros.
B Me (2)_________ más esta, ¿por qué no te la pruebas?
A Vale... A ver... ¿Cómo me (3)_________?
B Fenomenal.
A ¿(4)_________ cuesta?
B Da igual, yo te la regalo.

2 12 Escucha y comprueba tus respuestas.

3 Haz preguntas como en el ejemplo con los pronombres *la, lo, las, los.*

1 Yo no traigo el diccionario.
¿Tú lo traes?
2 Yo no veo esas películas.
¿Tú ______________________________?
3 Yo no compro esos libros.
¿Tú ______________________________?
4 Yo no conozco a la tía de David.
¿Tú ______________________________?
5 Yo no leo el periódico.
¿Tú ______________________________?
6 Yo no uso el ordenador de la escuela.
¿Tú ______________________________?
7 Yo no utilizo el transporte público.
¿Tú ______________________________?

4 Completa las frases con los pronombres del recuadro.

me *te* lo (x 2) *la* os (x 2) *nos* los *las*

1 ¿Por qué no *me* escuchas?
2 Allí está María, ¿______ ves?
3 ¿Dónde están mis zapatos? No ______ veo.
4 **A** ¿Conoces al profesor nuevo?
B No, no______ conozco.
5 **A** ¿Dónde están los niños?
B No ______ sé.
6 ¿Venís a la cafetería? Yo ______ invito.
7 Isabel, ______ (a ti) espero en la puerta del cine.
8 **A** ¿______ (a nosotros) invitas a tu cumpleaños?
B Sí, ______ espero a las 7.
9 **A** ¿Cómo están tus hermanas?
B Muy bien, ______ vi ayer.

B Mi novio lleva corbata

1 Busca el nombre de esta ropa en la sopa de letras.

R	W	J	E	R	S	E	Y	P	O
R	P	O	Y	N	B	N	S	A	Z
E	C	V	B	E	R	T	D	N	M
A	S	C	A	M	I	S	E	T	A
S	O	P	B	F	A	L	D	A	N
I	T	V	M	S	W	C	X	L	X
M	A	X	A	B	R	I	G	O	M
A	P	X	W	E	T	R	Y	N	U
C	A	L	C	E	T	I	N	E	S
B	Z	B	R	E	T	G	H	S	M

2 Completa.

En el departamento de objetos perdidos de estos grandes almacenes tenemos:

1 un moneder__ marrón,
2 una carpet__ negr__,
3 unos guantes gris__ __,
4 unas gaf__ __ roj__ __, muy modern__ __,
5 una pelot__ amarill__ .
6 unos bolígrafos azul__ __.
7 un paraguas ros__,
8 unos calcetines verd__ __ y
9 una bufand__ naranj__.

3 Escribe los adjetivos contrarios.

1 barato __________
2 antiguo __________
3 corto __________
4 cómodo __________
5 sucio __________
6 ancho __________
7 oscuro __________
8 grande __________

4 Completa con las palabras del recuadro.

vaqueros gasta favorito cómoda compras zapatos elegante bonitos

Carmen tiene 46 años y es funcionaria, trabaja en el Ministerio de Asuntos Exteriores. No (1) __________ mucho dinero en comprar ropa. Suele ir de (2) __________ dos veces al año, una antes de las vacaciones de verano y otra al principio del invierno. Le gusta la ropa (3) __________ y moderna, no muy formal. Prefiere llevar pantalones (4) __________, camisetas o camisas de algodón y (5) __________ muy cómodos. Cuando va a una fiesta o a un sitio especial prefiere algo más (6) __________: un vestido o unos pantalones (7) __________. Su color (8) __________ es el negro, aunque también le gustan mucho el rojo y el naranja.

C Buenos Aires es más grande que Toledo

1 Escribe una frase con el mismo significado.

1 Estos vaqueros son más caros que aquellos.
Aquellos vaqueros son más baratos que estos.
2 Juanjo es mayor que yo.
____
3 El coche de Ramón es peor que el de Miguel.
____
4 El sillón es más cómodo que la silla.
____
5 Lleva la falda más larga que el abrigo.
____
6 Raquel tiene menos libros que nosotras.
____
7 Mi coche es más viejo que el tuyo.
____

2 Completa las frases.

1 Est*e* vestido es muy cort______.
2 Es______ clase es pequeñ______.
3 Es______ coches son nuev______.
4 Aquell______ chicas están cansad______.
5 ¿Cuánto cuesta est______ falda roj______?
6 ¿De quién es est______ libro?
7 **A** ¿Es______ botas son car______?
B Sí, pero mira, aquell______ son más barat______.
8 **A** Es______ pantalones son muy lar______.
B Sí, aquell______ son más cort______.
9 Est______ pendientes están rebajad______.
10 Es______ bolso es bonit______ y barat______, pero aquel es car______ y bastante más fe______ .

3 Completa este texto utilizando los comparativos del recuadro.

menos **tan** *mayor* ~~*mejor*~~ *más (x 2)*

¿Dónde te gusta ir de vacaciones?

ÁNGEL: Es (1) *mejor* ir a la playa que a la montaña.

SUSANA: ¿Por qué? Yo prefiero la montaña, así las vacaciones son (2)__________ tranquilas.

ÁNGEL: Sí, en la montaña hay (3)__________ gente pero también es mucho (4)__________ aburrido. ¿Adónde vas por las noches? ¿Y qué haces durante el día? No hay nada (5)__________ relajante como tumbarse un día entero al sol y bañarse en el mar de vez en cuando.

SUSANA: Dormir poco y tomar mucho el sol es muy malo para la piel. ¿Sabes?, creo que por eso tú pareces mucho (6)__________ que yo. Mira, no tengo ni una arruga.

4 ¿Dónde prefieres ir tú de vacaciones? Escribe unas líneas y explica qué razones tienes.

A mí me gusta mucho ir a la playa porque…
Yo prefiero ir a la montaña…

5 Lee el texto y completa los huecos con las palabras del recuadro.

lugar • después • ~~noroeste~~ • empezó
catedral • es • mirar
ambiente • postre • hay • encontrar • que

SANTIAGO DE COMPOSTELA

Es la capital de la comunidad autónoma de Galicia. Es el final del "Camino de Santiago".

Santiago de Compostela, capital de la comunidad autónoma de Galicia, es el final del "Camino de Santiago". Situada en el (1) *noroeste* de España, en la Edad Media fue un (2)________ muy famoso, fue la tercera ciudad de la cristiandad, (3)________ de Jerusalén y Roma.

En la plaza del Obradoiro se encuentra la (4)________, una obra maestra que se (5)________ a construir en el siglo XII (pórtico de la Gloria) y se reformó en el siglo XVII (fachada barroca del Obradoiro). (6)________ un placer pasear por la parte antigua, tomar tapas y vinos, (7)________ las tiendas de artesanía o de dulces típicos.

La ciudad tiene un (8)________ muy animado, gracias a los turistas y, sobre todo, a los estudiantes (9)________ estudian en su famosa universidad. Es fácil (10)________ alojamiento en hoteles, pensiones, hostales, etc., y también (11)________muchas posibilidades de disfrutar la comida gallega. Los platos más típicos son el caldo gallego, el pulpo "a feira", la empanada gallega rellena de carne o pescado, los pimientos de Padrón y, de (12)________, la rica tarta de Santiago.

10 Salud y enfermedad

A La salud

1 Mira el dibujo y escribe el nombre de las distintas partes del cuerpo.

pecho • cuello • pelo • oreja • ojos
cara • hombro • brazo • mano • dedos
~~rodilla~~ • pie • pierna

1 _rodilla_ ____
2 ____
3 ____
4 ____
5 ____
6 ____
7 ____
8 ____
9 ____
10 ____
11 ____
12 ____
13 ____

2 ¿Qué palabra no pertenece a su grupo?

1 ojos, dientes, bigote, _dedos._
2 hombro, mano, oreja, dedos.
3 rodilla, cara, pierna, pie.
4 pie, cara, cuello, pelo.
5 brazo, mano, dedos, ojos.
6 pecho, hombro, rodilla, cuello.

3 Escribe las respuestas. La número 1 es la palabra vertical.

CRUCIGRAMA

1 Oyes con ellas: ____
2 Te lo puedes afeitar: ____
3 Los usas para abrazar: ____
4 Te los lavas después de comer: ____
5 Los cierras cuando duermes: ____
6 Te las lavas antes de comer: ____
7 En ellos te pones los anillos: ____

4 Ordena la siguiente conversación entre Sonia y Alfonso.

SONIA: Seguro que mañana estás mejor. ☐
SONIA: ¿Estás tomando algo? ☐
SONIA: ¿Qué te pasa Alfonso? ¿Te encuentras bien? 1
SONIA: ¿Por qué no te tomas una aspirina y descansas? ☐
ALFONSO: Sí, es lo mejor, porque mañana tengo mucho trabajo. ☐
ALFONSO: No, no muy bien. Tengo fiebre. ☐
ALFONSO: No, de momento no. ☐

5 13 Escucha y comprueba.

6 Completa las siguientes frases con el verbo *doler*.

1 ¡Baja la música! A papá *le duele* la cabeza.
2 A Juan y a Carmen ____________ la espalda.
3 No puedo cenar porque ____________ el estómago.
4 Mi hermana va mañana al dentista porque ____________ las muelas.
5 ¿Y a ti qué ____________?
6 Hemos caminado mucho y ahora ____________ las piernas.

B Antes salíamos con los amigos

1 Relaciona las frases y completa con el pretérito imperfecto.

1 Ahora trabajo en una oficina, [d]
2 Ahora vamos al cine, [ ]
3 Ahora Juan viene los martes a clase, [ ]
4 Ahora compro el periódico, [ ]
5 Ahora me gusta la música clásica, [ ]
6 Ahora haces la comida, [ ]

a antes ____________ los jueves.
b antes ____________ la cena.
c antes ____________ revistas.
d antes *trabajaba* en un restaurante.
e antes ____________ el rock.
f antes ____________ al teatro.

2 Completa las frases con el pretérito imperfecto de los verbos del recuadro.

vivir *tener (x 2)* ***ir (x 2)*** *trabajar* ***tocar (x 2)*** *ser (x 2)* ***escalar*** *leer* ***existir***

1 Antes de venir a Madrid, ____________ en Vigo.
2 Cuando Mercedes ____________ 14 años, siempre ____________ en bicicleta.
3 Ahora es recepcionista, antes ____________ como camarero.
4 Antes ____________ muy mal la guitarra, ahora tengo un profesor particular y lo hago mejor.
5 Julia y Jorge, cuando ____________ jóvenes, ____________ el piano.
6 De pequeño ____________ a la escuela en el autobús con otros niños.
7 Cuando ____________ jóvenes, mi marido y yo ____________ con un grupo de montaña.
8 Antes, mi hijo ____________ una moto y ____________ muchas revistas de motociclismo.
9 Hace cincuenta años no ____________ los teléfonos móviles.

3 Completa la siguiente entrevista con el pretérito imperfecto de los verbos entre paréntesis.

MARCOS CURIEL cumple 95 años el próximo 14 de noviembre.

ENTREVISTADOR: ¿Tiene amigos de su edad?
MARCOS: Tengo algunos amigos más jóvenes. (1) *Tenía* (tener) uno de mi edad, pero murió a los 90 años.
ENTREVISTADOR: ¿Es el mundo ahora muy diferente?
MARCOS: Todo está muy cambiado. Antes todos nosotros (2)________ (vivir) más tranquilos y ahora la gente corre demasiado.
ENTREVISTADOR: Cuando (3)________ (ser) niño no (4)________ (haber) televisión, ni radio…
MARCOS: No, nosotros no (5)________ (tener) nada de eso.
ENTREVISTADOR: ¿Qué es lo que más recuerda de su infancia?
MARCOS: Me acuerdo de cuando yo (6)________ (ir) a ayudar a mi padre. Él (7)________ (ser) barbero y (8)________ (atender) a mucha gente.
ENTREVISTADOR: ¿Cuál es el secreto para llegar a los noventa y cinco años?
MARCOS: Cuando mi familia y yo (9)________ (vivir) en Trujillo (10)________ (tomar) muchos alimentos naturales, leche recién ordeñada y patatas recogidas del campo.

4 Vuelve a leer la entrevista con Marcos y contesta a las preguntas.

1 ¿Cuántos años tenía su amigo cuando murió?

____

2 Según Marcos, ¿cómo vivía la gente antes?

____

3 ¿Qué cosas no tenía Marcos cuando era niño?

____

4 ¿Dónde vivía Marcos con su familia?

____

5 ¿En qué trabajaba el padre de Marcos?

____

6 ¿Qué comían Marcos y su familia?

____

C Voy a trabajar en un hotel

1 Relaciona las siguientes preguntas con sus respuestas.

1 ¿Para qué vas a aprender español? [c]
2 ¿Cuándo se va a casar Pedro? ☐
3 ¿Cuántos días van a estar? ☐
4 ¿A qué hora vamos a quedar? ☐
5 ¿Qué carrera vas a estudiar? ☐
6 ¿Adónde vais a ir de viaje de novios? ☐

a A las ocho y media.
b En abril.
c Porque quiero viajar a España.
d A la isla de Fuerteventura
e Tres o cuatro.
f Medicina.

2 ¿Qué planes tienen los siguientes personajes para el fin de semana?

1 Juan / lavar el coche.
Juan va a lavar el coche.
2 Yo / llamar a mis amigos.
____
3 Ana / cenar con Pedro.
____
4 María y Alberto / pintar su casa.
____
5 Tomás y yo / arreglar nuestras bicicletas.
____
6 ¿(Tú) / ir a la piscina?
____
7 ¿(Vosotros) / venir a comer?
____
8 ¿Tu hermano / correr la maratón de Atenas?
____
9 Mis amigos / no ver el partido en casa. (ellos) / ver en un bar.
____
10 ¿(Tú) / hacer obra en la cocina?
____

3 Completa la conversación.

ROSA: ¡Hola, Pablo! Soy Rosa. ¿Qué vas a hacer este sábado?
PABLO: Tenemos un examen el lunes, y Elena (1)__________ (venir) a estudiar a mi casa.
ROSA: ¿Y el domingo?
PABLO: El domingo por la mañana Ángel y yo (2)__________ (ver) una exposición y por la tarde (3)__________ (jugar) a los bolos. ¿Te vienes?
ROSA: El domingo por la mañana yo no (4)__________ (poder) porque (5)__________ (lavar) el coche, pero nos vemos por la tarde.
PABLO: ¡Estupendo! ¡Hasta el domingo!

4 Relaciona cada país o ciudad con una actividad.

1 Estados Unidos ☐
2 Moscú ☐
3 Egipto ☐
4 España ☐
5 Río de Janeiro ☐
6 Kenia ☐
7 Grecia ☐
8 París ☐
9 Roma ☐
10 Londres ☐

a Escuchar flamenco.
b Visitar las pirámides.
c Pasear por la plaza Roja.
d Bañarse en las playas de Copacabana.
e Hacer fotos a los leones.
f Navegar por el Támesis.
g Volar sobre el Gran Cañón.
h Conocer las islas griegas.
i Conocer el Coliseo.
j Admirar la Gioconda.

5 Di qué van a hacer las siguientes personas en sus vacaciones.

1 David / Kenia
David va a hacer fotos a los leones.
2 Pedro / Estados Unidos.
3 Alberto y Pablo / Moscú
4 Yo / Egipto
5 Tú / España
6 Tu novia y tú / Río de Janeiro
7 Nosotros / Grecia
8 Mis padres / París
9 Pablo y María / Roma
10 Tu amigo Pedro / Londres

6 Lee el texto y di si las frases siguientes son verdaderas o falsas.

¡REFORME SU CASA!

¿Necesita su casa una reforma? Todas las semanas la revista *Su Casa al Día* va a sortear un premio de 10 000 euros entre nuestros lectores para reformar su casa y su mobiliario. Esta semana la ganadora es la señora Ruiz, que nos va a contar sus planes de reforma.

ENTREVISTADORA: ¿Qué va a hacer con el dinero, señora Ruiz?
SRA. RUIZ: Lo primero que voy a hacer es pintar toda la casa. Voy a poner distintos colores en cada habitación.
ENTREVISTADORA: ¿Qué piensa su familia?
SRA. RUIZ: Están todos de acuerdo. Ellos van a elegir el color de cada habitación.
ENTREVISTADORA: ¿Y qué va a hacer con los muebles?
SRA. RUIZ: Voy a cambiar los muebles viejos y también uno o dos electrodomésticos.
ENTREVISTADORA: ¿Va a hacer algo más?
SRA. RUIZ: Si me sobra dinero, vamos a comprar un televisor con una pantalla muy grande, como de cine.
ENTREVISTADORA: Es una idea excelente. ¡Que lo disfruten, Sra. Ruiz!

1 La Sra. Ruiz va a recibir una herencia de 10000 euros. [F]
2 Se va a gastar el dinero en un viaje. ☐
3 Va a pintar las paredes de colores. ☐
4 La familia no está de acuerdo con la reforma. ☐
5 Los hijos van a elegir los colores de las habitaciones. ☐
6 Con el dinero restante van a comprar una televisión. ☐

Practica más 5

Unidades 9 y 10

1 Sustituye el nombre por el pronombre objeto, como en el ejemplo.

Dame el libro. / Dámelo.

1 El domingo vi el partido por la televisión.
_______ vi con mis amigos.
2 Ayer me compré unos zapatos.
Me _______ compré en mi barrio.
3 Leí las revistas que compraste.
_______ leí ayer por la tarde.
4 Enviaron las cartas a sus familiares.
_______ enviaron por correo urgente.
5 Todos los días llevo corbata.
_______ llevo para trabajar.
6 Me compré unos pantalones cortos.
_______ compré para ir al campo.

2 Elige el adjetivo correcto de cada pareja.

claro/a • oscuro/a
moderno/a • antiguo/a
largo/a • corto/a
caro/a • barato/a
ancho/a • estrecho/a
grande • ~~pequeño/a~~
limpio/a • sucio/a

1 Ese niño no sabe andar.
Es muy pequeño.
2 No me lo puedo comprar.
Es muy ___________.
3 Esa camisa azul es casi negra.
Es muy ___________.
4 No tengo tiempo de limpiar.
La casa está muy ___________.
5 La película duró demasiado.
Fue muy ___________.
6 El armario tiene más de cien años.
Es muy ___________.
7 Mi coche no cabe en ese aparcamiento. Es muy ___________.

3 Elige la opción correcta.

Andrés es más alto que su hermano.
a) ~~que~~ b) más c) tan

1 Mi coche nuevo es _______ que el antiguo.
a) tan b) como c) mejor

2 Las habitaciones de Elena y Rosa son iguales. La habitación de Elena es _______ grande como la de Rosa.
a) tan b) que c) más

3 La silla es _______ cómoda que el sillón.
a) tan b) menos c) menor

4 Elisa es más simpática _______ su compañera.
a) como b) peor c) que

5 La mesa de madera no es tan antigua _______ la de hierro.
a) como b) que c) menos

6 Luis tiene tres años menos que Nacho. Nacho es _______ que Luis. Luis es _______ que Nacho.
a) mayor b) menor c) como

7 Las notas de Carlos son muy malas. Son ___________ que las de su hermana.
a) mejor b) peor c) peores

8 La película del sábado es muy aburrida. Es _______ que la de la semana pasada.
a) mala b) peor c) más

9 Juan tiene mucho tiempo libre. Está _______ ocupado que yo.
a) tan b) menos c) como

10 Esta tienda es muy barata. Tiene _______ precios que las otras.
a) buenos b) malos c) mejores

11 Mi amigo ha ganado la Olimpiada de Matemáticas. Es el _______ .
a) más b) mayo c) mejor

4 Completa las tablas con el pretérito imperfecto de los verbos.

	DIBUJAR	COMER	DECIR
Yo	dibujaba		
Tú		comías	
Él			decía
Nosotros			
Vosotros			
Ellos			

	IR	SER
Yo		
Tú		
Él		
Nosotros		éramos
Vosotros	ibais	
Ellos		

5 Completa las siguientes frases con el pretérito imperfecto de los verbos del recuadro.

beber *conducir* ***ir (x 2)*** *venir* ***estar***
jugar ***ser*** *tener* ***montar*** *salir* ***vivir***

1 Luis y Antonio antes *vivían* en Alemania.
2 Cuando Juan ______ pequeño ______ al colegio conmigo.
3 Nosotros antes ______ mucho café.
4 Cuando no ______ hijos, Elena y Emilio ______ mucho con sus amigos.
5 De pequeños mi hermano y yo ______ a la playa con nuestros padres.
6 Cuando mi abuelo ______ a mi casa, ______ conmigo al dominó.
7 Cuando nosotros ______ en el pueblo, ______ en bicicleta.
8 Antes ______ muy deprisa, pero ahora voy más tranquilo por la carretera.

6 Ordena las preguntas y contéstalas mirando los planes de Juanjo para el próximo curso.

Mis planes para el próximo curso

- Conocer Argentina y Uruguay.
- Ir al gimnasio martes y jueves.
- Comprar un coche nuevo.
- Vacaciones con Nieves y Lucía.
- Fiesta de cumpleaños (28 de febrero).
- Tenis con Miguel en la Casa de Campo.
- Pasar la Semana Santa en Londres.

1 ¿va / Juanjo / a / qué / conocer / países?
¿Qué países va a conocer Juanjo?
Juanjo va a conocer Argentina y Uruguay.
2 ¿a / amigos / al / Juanjo / y / gimnasio / cuándo ir / van / sus?
______
______
3 ¿comprar / va / se / qué / a?
______
______
4 ¿va / pasar / quién / vacaciones / con / a / las?
______
______
5 ¿organizar / qué / va / fiesta / a / una / día?
______
______
6 ¿tenis / a / dónde / jugar / al / van / Juanjo y Miguel?
______
______
7 ¿Semana / va / a / la / Santa / pasar / dónde?
______
______

11 Biografías

A ¿Quieres ser millonario?

1 Haz las preguntas correspondientes para conseguir la información subrayada.

1 ¿Qué está comprando Pedro?
Pedro está comprando <u>una bicicleta nueva</u>.
2 ______
Fui al <u>Museo de Ciencias</u>.
3 ______
<u>Ángel</u> arregló el reloj.
4 ______
Hicieron <u>pescado</u> para cenar.
5 ______
Nos vamos de vacaciones a <u>Nueva York</u>.
6 ______
Rosa y Pablo fueron <u>al zoo</u>.
7 ______
Susana sabe tocar <u>el piano</u>.
8 ______
Lorena viene <u>la semana próxima</u>.
9 ______
El helado está <u>en el congelador</u>.
10 ______
El partido es <u>a las once de la mañana</u>.
11 ______
Me gusta <u>la música clásica</u>.
12 ______
Normalmente ceno <u>a las diez de la noche</u>.
13 ______
Vinieron a verme <u>mis amigos de Jaén</u>.

2 Completa las preguntas con *cuántos, cuántas, cuánto, cuánta.*

1 ¿*<u>Cuántos</u>* alumnos hay en tu clase?
2 ¿______ agua bebes al día?
3 ¿______ películas viste el mes pasado?
4 ¿______ cuesta un televisor de plasma?
5 ¿______ plátanos hay en la nevera?
6 ¿______ personas había en el estadio?
7 ¿______ partidos de tenis ganó Nadal?
8 ¿______ fruta comes al día?
9 ¿______ kilómetros andas a la semana?
10 ¿______ correos envías cada semana?
11 ¿______ tiempo dura un partido de tenis?

Sevilla

Córdoba

3 Subraya la forma adecuada.

1 ¿Qué / Cuál ciudad prefieres: Córdoba o Sevilla?
2 ¿Cuál / Qué deporte te gusta más: el fútbol o el baloncesto?
3 ¿Qué / Cuál chaqueta te gusta más: la verde o la azul?
4 ¿Qué / Cuál quieres para cenar: pescado o carne?
5 ¿Qué / Cuál libro tienes que leer?
6 ¿Qué / Cuál prefieres: este o aquel?
7 ¿Qué / Cuál es el número de teléfono de Ricardo?
8 ¿Qué / Cuál quieres para tu cumpleaños: un libro o un CD?
9 ¿Qué / Cuál película vamos a ver hoy?
10 ¿Qué / Cuál es tu programa de TV favorito?

4 Elige la palabra correcta.

1 ¿*<u>Cuántas</u>* naranjas compraste?
a Qué **b** Cuántas **c** Cuál
2 ¿______ tipo de música prefieres?
a Cómo **b** Cuál **c** Qué
3 ¿______ vive tu prima?
a Dónde **b** Cuándo **c** Cuál
4 ¿______ llegaste a Chile?
a Qué **b** Dónde **c** Cuándo
5 ¿______ periódico lees habitualmente?
a Cómo **b** Qué **c** Cuál
6 ¿______ te gusta más: este o aquel?
a Cuál **b** Qué **c** Cómo

B Biografías

1 Escribe frases en pretérito indefinido, como en el ejemplo.

Montserrat Caballé / nacer / en Cataluña.
Montserrat Caballé nació en Cataluña.

1 Maradona / jugar / en el Fútbol Club Barcelona.

____

2 Cervantes / es / el autor / de *El Quijote*.

____

3 Los Reyes de España / casarse / en Grecia.

____

4 Antonio Banderas y Melanie Griffith / conocerse / en el rodaje de una película.

____

5 Camilo José Cela / recibir / el Premio Nobel de Literatura en 1989.

____

2 Lee los siguientes titulares y escribe las noticias en pretérito indefinido según el ejemplo.

Abril – 1939
TERMINA LA GUERRA CIVIL ESPAÑOLA

Enero – 1963
Los Beatles consiguen su primer éxito

Julio – 1969
El hombre llega a la luna

Mayo – 1904
DALÍ NACE EN CATALUÑA

Octubre – 1492
Colón llega a América

Julio – 1789
Comienza la Revolución francesa

1 *La Guerra Civil española terminó en abril de 1939.*
2 ______________________________
3 ______________________________
4 ______________________________
5 ______________________________
6 ______________________________

3 Completa el texto con el pretérito indefinido de los verbos.

Miguel de Cervantes

Miguel de Cervantes Saavedra (1) nació (nacer) en Alcalá de Henares en 1547. En 1569 (2)_____ (irse) a Roma y allí (3)________ (hacerse) soldado. En una batalla importante (4)_____ (perder) el brazo izquierdo. (5)________ (estar) en una cárcel de Argel durante cinco años y en 1580 finalmente (6)_______ (volver) a España. (7)_______ (casarse) con Catalina de Salazar. (8)_____ (tener) problemas en su trabajo de recaudador de impuestos y (9)____ (ir) a la cárcel otra vez. Allí (10)________ (escribir) su obra más importante: *Don Quijote de la Mancha*. (11)______ (morir) en 1616.

4 Completa el texto con el pretérito indefinido de los verbos del recuadro.

empezar (x 2) • crear • descubrir • conseguir
estudiar • gustar • ~~querer~~ • tener • dedicarse

Juan López siempre (1) *quiso* ser famoso. Él (2)________ a jugar al fútbol cuando tenía seis años. Pero los buscadores de talentos no lo (3)_______. Años más tarde, Juan lo intentó en el mundo de la música y (4)_______ violín durante varios años. Pero a los expertos no les (5)_________ su música. Después (6)________ en el mundo del teatro, pero no (7)________ ningún éxito. Ante esta situación, Juan (8)________ a los negocios. Él y su hermano (9)_________ una nueva empresa de ordenadores, donde por fin (10)___________ el éxito deseado.

C Ganadores

1 Escucha y completa los textos con los números del recuadro.

15 • 1889 • 2000 • 16 • 5 • 1933 • 2007 • 1980 • 21 • 1964 • 1995 • 2003 • 1991 • 1945

PERSONAJES

GABRIELA MISTRAL

Ganadora del Premio Nobel de Literatura

Nació en Chile en (1) 1889. Dedicó más de (2)____ años de su vida a la enseñanza. Desde (3)____ representó a su país como cónsul en Madrid, Lisboa y Los Ángeles. Su poesía ha sido traducida a muchos idiomas. En (4)____ recibió el Premio Nobel de Literatura.

PEDRO ALMODÓVAR

Ganador de un Óscar

Desde que Pedro Almodóvar dirigió su primera película en (5) ____, se convirtió en uno de los directores más importantes del cine español. Dirigió más de (6)____ películas, hasta que en el año (7)____ consiguió el Óscar de Hollywood a la Mejor Película de Habla no Inglesa, con *Todo sobre mi madre*. Posteriormente, en el año (8) ______ ganó el Óscar al Mejor Guion Original con su película *Hable con ella*. En el año (9) ______ logró un gran éxito internacional con su película *Volver*.

MIGUEL INDURÁIN

Ganador del Tour de Francia

Miguel Induráin, el famoso ciclista español, nació en Navarra en (10)____. Comenzó su carrera de triunfos con su victoria en la Vuelta a España con solo (11)____ años. Más tarde consiguió (12)____ Tours de Francia consecutivos entre (13)____ y (14)____.

2 Lee los textos otra vez y contesta las preguntas.

1 ¿En qué ciudades trabajó como cónsul Gabriela Mistral?
______
2 ¿Cuándo ganó el Premio Nobel de Literatura?
______
3 ¿Con qué películas ganó Almodóvar sus premios Óscar?
______
4 ¿De dónde es Induráin?
______
5 ¿Cuántos años tenía cuando ganó la Vuelta a España?
______

3 Completa las siguientes frases con las preposiciones del recuadro.

a ***por*** *desde (x 2)* ***de*** *hasta (x 2)* ***en (x 4)***

1 En 1995 recibió el Premio Cervantes.
2 El 15 ______ marzo cumplió 47 años.
3 Ayer ______ la tarde recibieron la llamada.
4 ______verano vamos a ir a la playa.
5 ______ el año pasado no hemos vuelto al pueblo.
6 ______ 1980 ______ el año 2000 Joaquín vivió en Estados Unidos.
7 ______ marzo llovió mucho.
8 Aprendió a conducir ______ los 18 años.
9 No tuvimos ningún problema ______ el viaje.
10 Estuve estudiando ______ las cuatro de la mañana.

4 Escribe una relación de las cosas que hiciste ayer.

1 *Ayer leí el periódico.*
2 ______
3 ______
4 ______
5 ______
6 ______
7 ______
8 ______
9 ______
10 ______

5 Contesta a las siguientes preguntas escribiendo los números completos. Busca la información en los distintos textos de la unidad.

1 ¿En qué año nació Cervantes?
En mil quinientos cuarenta y siete.
2 ¿En qué año llegó el hombre a la Luna?
______
3 ¿En qué años ganó Almodóvar sus premios Óscar?
______
4 ¿En qué año comenzó la Revolución Francesa?
______
5 ¿En qué año consiguió Induráin su último Tour de Francia?
______
6 ¿En qué año nació Dalí?
______
7 ¿En qué año terminó la Guerra Civil española?
______
8 ¿En qué año recibió Camilo José Cela el Premio Nobel de Literatura?
______

Camilo José Cela recibe el Premio Nobel.

12 Costumbres

A La boda de Pili

1 Lee el artículo y contesta a las preguntas.

Nacido para reinar

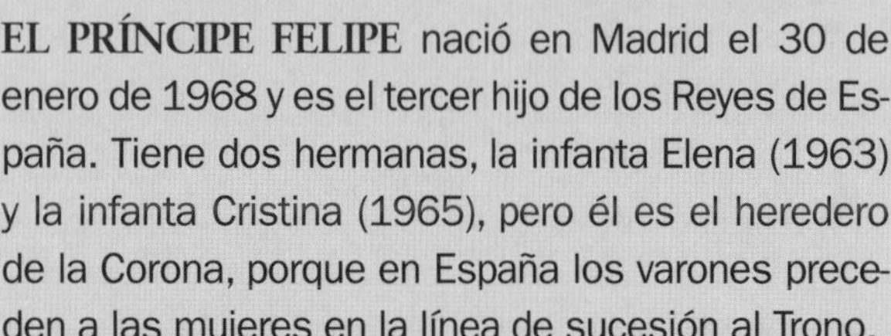

EL PRÍNCIPE FELIPE nació en Madrid el 30 de enero de 1968 y es el tercer hijo de los Reyes de España. Tiene dos hermanas, la infanta Elena (1963) y la infanta Cristina (1965), pero él es el heredero de la Corona, porque en España los varones preceden a las mujeres en la línea de sucesión al Trono.

Sus padrinos en el bautizo fueron su abuelo, el Conde de Barcelona y su bisabuela, la reina Victoria Eugenia de Battemberg, y le pusieron los nombres de Felipe Juan Pablo Alfonso y de Todos los Santos, según una costumbre griega.

Desde que empezó a andar, ha aparecido con frecuencia en los medios informativos junto a sus padres, los Reyes. Era un niño rubio, disciplinado y normal. Actualmente es un hombre serio, introvertido y con gran sentido del humor. Dicen que se parece a su madre, la reina Sofía, y a su abuelo, el rey Pablo de Grecia.

En 1986, a los 18 años, comenzó su formación militar, que duró dos años. Luego, de octubre de 1988 a junio de 1993, estudió Derecho en la Universidad Autónoma de Madrid. Posteriormente realizó estudios de postgrado en Estados Unidos.

En su tiempo libre practica la vela y el esquí, como deportes favoritos. Fue miembro de la selección olímpica de vela en los Juegos de Barcelona '92.

El 22 de mayo de 2004 se casó con la periodista asturiana doña Letizia Ortiz. La boda fue el acontecimiento social más importante del año.

El 31 de octubre de 2005 nació su primera hija, la infanta Leonor, y el 29 de abril de 2007, su segunda hija, la infanta Sofía.

Desde 1981 la Fundación Príncipe de Asturias convoca anualmente los Premios del mismo nombre, que son entregados en Oviedo por el príncipe Felipe, que es el Presidente de la Fundación. Los premios se conceden a personalidades de todo el mundo que han hecho contribuciones importantes con su trabajo en diferentes campos, como las Humanidades, las Ciencias, el Deporte, la Concordia, las Artes, etcétera.

1 ¿Dónde y cuándo nació el Príncipe?
2 ¿Cuál es su nombre completo?
3 ¿Qué carácter tiene?
4 ¿Qué deportes prefiere?
5 ¿Qué profesión tenía la que ahora es su esposa?
6 ¿Cuántos años tienen sus hijas actualmente?
7 ¿Sabes en qué comunidad autónoma se encuentra la ciudad de Oviedo?
8 ¿En qué año se convocaron los premios Príncipe de Asturias?

2 Vuelve a leer el artículo y di si las afirmaciones siguientes son verdaderas o falsas.

1 Los hijos de los reyes que no son herederos al Trono reciben el título de infante o infanta. ☐
2 En España, el primer hijo o hija de los reyes es el heredero de la Corona. ☐
3 No aparece mucho en la televisión, revistas, etc. ☐
4 Tiene formación militar e intelectual. ☐
5 Le gusta mucho la vela. ☐

3 Encuentra ocho palabras referidas a relaciones familiares.

S	A	H	E	R	M	A	N	A
L	I	M	U	P	E	C	L	Ñ
B	U	P	A	D	R	E	V	M
O	K	I	T	R	U	J	X	Z
B	I	S	A	B	U	E	L	O
E	R	D	A	M	U	G	Q	U
M	A	D	L	E	P	A	T	I
A	T	I	P	I	M	O	I	P
C	U	Ñ	A	D	O	E	A	U
O	M	I	R	P	S	P	O	N

4 15 Paloma y Jesús están en la boda de Pili y Carlos hablando con una amiga de la familia. Escucha la conversación y señala si las frases siguientes son verdaderas o falsas.

1 Paloma y Jesús son hermanos de la novia. F
2 Paloma vive en Madrid. ☐
3 Jesús está soltero. ☐
4 Jesús vive en las Islas Baleares. ☐
5 Paloma tiene tres hijos. ☐
6 Jesús tiene novia. ☐
7 La madre de la novia de Jesús está enferma. ☐

B ¿Cómo te ha ido hoy?

1 Completa con las formas correctas del pretérito perfecto.

VIAJAR	CONOCER
Yo he viajado	Yo
Tú	Tú has conocido

VIVIR	DIVERTIRSE
Yo	Yo me he divertido
Tú	Tú
Él / ella ha vivido	
	Ellos se han divertido

VOLVER	VER
Yo	Yo
Tú	Tú
Nosotros hemos vuelto	
	Vosotros habéis visto

2 Escribe frases en pretérito perfecto, como en el ejemplo.

1 Ramón / conocer / a una chica.
Ramón ha conocido a una chica.
2. Nosotros / vivir / en Mallorca un año.
3 ¿(Tú) / ver / la última película de Almodóvar?
4 Nunca / (yo) / estar / en Argentina.
5 Mi hermano / pasar / por mi casa esta mañana.
6 Elena / ya / irse / a la cama.
7 ¿(Vosotros) / tener / problemas con el pasaporte?
8 Mis vecinos / llamar / a la policía, porque / ver / a un ladrón en la escalera.
9 Esta mañana / (yo) / no afeitarse.
10 La Sra. Pérez / estar / dos veces en el hospital.
11 Juan / no hacer / la cama hoy.
12 Clara / llegar / tarde al trabajo.

3 Forma frases con un elemento de cada columna, como en el ejemplo.

Esta mañana	comer	café y tostadas
Esta tarde	viajar	de casa
Hoy	desayunar	una película muy buena
Este mediodía	salir (nosotros)	en taxi a la oficina
Este verano	ir	por Centroamérica
Esta noche	ver	con mi familia
Esta semana	estar	en el parque
Últimamente	tener	un examen de español
Estos meses	hacer	bastante deporte
	trabajar	para un periódico local

1 *Este verano he viajado por Centroamérica.*
2 ______
3 ______
4 ______
5 ______
6 ______
7 ______
8 ______
9 ______

4 Escribe los verbos entre paréntesis en la forma adecuada del presente o pretérito perfecto.

1 Normalmente, Paloma *llega* (llegar) temprano a la escuela, pero hoy ha *llegado* (llegar) tarde.
2 **A** ¿Qué tal el día?
B Estoy cansado, ______ (trabajar, yo) mucho.
3 **A** ¿A qué hora ______ (salir, tú) de casa normalmente?
B Normalmente ______ (salir, yo) a las ocho, pero hoy ______ (salir, yo) a las nueve.
4 Todos los días ______ (comer, nosotros) en casa, pero hoy ______ (ir, nos.) a un restaurante.
5 Los domingos no ______ (ver, nos.) la tele, pero hoy ______ (ver, nos.) una película muy buena.
6 Esta semana ______ (hacer, yo) la comida. Normalmente la ______ (hacer, ella) mi madre.
7 **A** Antonio, ¿ ______ (poner, tú) la mesa?
B Sí, ya la ______ (poner, yo), mamá, ya podemos comer.
8 Iker ______ (acostarse) todas las noches más tarde de las once, pero hoy ______ (irse a dormir) enseguida.
9 Esta tienda ______ (abrir) todos los días a las nueve, pero hoy son ya las 10 y todavía no ______ (abrir, ellos).
10 Esta mañana la clase ______ (ser) un poco aburrida, pero normalmente ______ (ser) muy interesante.

5 Elige el tiempo apropiado (pretérito perfecto o pretérito indefinido).

conocer (x 2) • enamorarse • encontrar
hablar • tener • ver • decidir • llegar

CAMBIOS CULTURALES

Mi familia **(1)** *llegó* / *ha llegado* a España de la India en los años 70. Mi padre es muy tradicional y cree en los matrimonios concertados. Por eso, me **(2)** *ha encontrado* / *encontró* un marido cuando yo **(3)** *cumplí* / *he cumplido* nueve años. Se llama Rabí. Ahora tengo 16 años y este año **(4)** *vi* / *he visto* a Rabí por primera vez. En los últimos meses nos **(5)** *vimos* / *hemos visto* dos veces. Es una situación muy difícil porque yo ya tengo novio. Nos **(6)** *hemos conocido* / *conocimos* en mi última fiesta de cumpleaños y nos **(7)** *enamoramos* / *hemos enamorado*. Esta mañana **(8)** *hablé* / *he hablado* con mi madre y las dos **(9)** *hemos decidido* / *decidimos* decírselo a mi padre esta noche.

6 Lee el texto de *Leo Verdura* y contesta a las preguntas.

1 ¿De dónde ha regresado Raad?
____
____

2 ¿A quién ha conocido?
____
____

3 ¿Dónde la ha conocido?
____
____

4 ¿En qué trabaja?
____
____

5 ¿Cuántos años tiene?
____
____

6 ¿Qué enfermedad tuvo Raad?
____
____

7 ¿Cuál es la conclusión?
____
____

C Costumbres

1 Mira el cartel anunciador y haz frases con *no se puede* y *hay que*, como en el ejemplo.

PISCINA SOL Y AGUA
(normas de funcionamiento)

- No jugar a la pelota
- No correr por las instalaciones
- No empujar al agua
- Usar gorro de baño
- Ducharse antes de entrar al agua
- Usar gafas de baño

1 *No se puede jugar a la pelota.*
2 _______________
3 _______________
4 _______________
5 _______________
6 _______________

2 ¿Qué hay que hacer y qué no hay que hacer el día antes de un examen?

1 *No hay que* acostarse tarde.
2 __________ repasar.
3 __________ salir por la noche.
4 __________ dormir ocho horas.
5 __________ ver la televisión hasta muy tarde.
6 __________ ponerse nervioso.
7 __________ estar tranquilo.
8 __________ cenar tarde.
9 __________ desayunar bien.
10 __________ llegar antes al examen.

Practica más 6

Unidades 11 y 12

1 Completa la biografía de Salvador Dalí con los verbos del recuadro. Utiliza el pretérito indefinido.

~~nacer~~ • celebrar • estudiar • conocer (x 2) empezar • recibir • vivir • pintar crear • morir • volver

Salvador Dalí

El pintor (1) nació en Figueras (Girona), el 11 de mayo de 1904. (2)________ Bellas Artes en Madrid, donde (3)________ a García Lorca y a Buñuel. (4)________ sus primeros cuadros surrealistas en 1927 y en 1929 (5)________ su primera exposición en París. En los años treinta su estilo (6)________ el nombre de paranoico-crítico porque pretendía explorar el carácter ambiguo de la realidad. En 1929 (7)________ a Gala, su gran amor y (8)________ a vivir con ella en Cadaqués, en la Costa Brava.

Desde 1939 hasta 1945 (9)________ fuera de España y fue su etapa surrealista más creativa. A partir de 1945 (10)________ a Cadaqués, cuando su obra era conocida en casi todo el mundo. En 1974 (11)________ el Museo Dalí de Figueras, donde el visitante puede hacer un recorrido por toda su obra. Sus pinturas más conocidas son: *La cesta de pan, El Cristo de San Juan de la Cruz, Muchacha asomada a la ventana.* (12)________ en Cadaqués en 1989.

2 Completa esta entrevista a un cantante. Utiliza los verbos del recuadro en pretérito indefinido.

ganar • ~~nacer~~ (x 2) • pagar cantar (x 2) • estudiar • empezar ser (x 2) • irse • estar

ENTREVISTADOR: David, ¿dónde (1) naciste?

DAVID: Yo (2) ________ en Valladolid.

ENTREVISTADOR: ¿Qué (3)________?

DAVID: Con doce años (4)________ a estudiar Canto en el Conservatorio de Valladolid y luego (5)________ a Madrid, al Conservatorio Superior de Música.

ENTREVISTADOR: ¿Dónde y cuándo (6)________ en público por primera vez?

DAVID: La primera vez que (7)________ solo fue en las fiestas de un pueblo, pero no me (8)________ nada. Durante cinco años (9)________ cantando en un coro para ganar dinero.

ENTREVISTADOR: ¿Cuál (10)________ tu primer éxito?

DAVID: Mi primer éxito (11)________ el disco *Canción de amor* que (12)________ el premio al cantante más joven de España en 1992.

3 Completa con *ser* o *estar*.

1 Antonio está muy ocupado.
2 Mira, esta ___ mi madre.
3 Julián _____ rubio y Celia, morena.
4 Mis vecinos ____ muy amables.
5 Mis hermanos _____ solteros.
6 Mi abuelo ____ muy enfermo.
7 Mi novia _____ alta y delgada.
8 Mi madre ____ muy nerviosa por la boda de mi hermano.
9 ¿_____ (tú) nervioso por la entrevista?
10 ¿De dónde ____ (vosotros)?

4 Completa la conversación con el pretérito perfecto de los verbos.

A Belinda, ¿*has trabajado* (trabajar) alguna vez como guía turística?
B No, pero __________ (trabajar) en una agencia de viajes.
A ¿__________ (estar) en España?
B Sí, __________ (estar) en Andalucía y en Baleares, pero no __________ (viajar) por el resto del país.
A ¿__________ (conocer) a muchos españoles en tus viajes?
B No, no muchos. Sobre todo __________ (conocer) a muchos turistas.

5 Escribe frases sobre Belinda con la información de la actividad anterior.

1 Guía turística.
No ha trabajado como guía turística.
2 En una agencia de viajes.
____
3 España.
____
4 Todo el país.
____
5 Conocer a muchos españoles.
____

6 ¿Lo han hecho alguna vez?

1 (Ellos) ir a Marbella.
¿Han ido alguna vez a Marbella?
2 (Tú) / ver una corrida de toros.
____
3 (Ella) / vivir en el extranjero.
____
4 (Vosotros) / ir a un concierto de rock.
____
5 (Ellos) / comido gazpacho.
____
6 (Tú) / montar en avión.
____
7 (Él) / arreglar un enchufe.
____
8 (Usted) / bailar flamenco.
____
9 (Ella) / hacer galletas.
____
10 (Él) / pintar un cuadro.
____

7 Haz frases en pretérito perfecto.

1 Mis padres / acostarse / temprano.
Mis padres se han acostado temprano.
2 Juan / beberse / toda la leche.
____
3 Los niños / romper / el ordenador.
____
4 A nosotros / gustar / la película.
____
5 Mi novio y yo / estar de vacaciones / en Galicia.
____
6 El concierto / empezar / tarde.
____
7 La madre de Juan / caerse / por la escalera.
____
8 El fontanero / decir / que viene mañana.
____
9 ¿(Tú) / acabar de pintar tu casa?
____

8 Elige la opción correcta.

1 __________ contratar a un actor para participar en un concurso de la televisión.
a hay que **b** no se puede **c** no hay que
2 ¡No mientas! __________ decir la verdad.
a hay que **b** no se puede **c** no hay que
3 ¡__________ ponerse nervioso! Es solo un examen.
a hay que **b** no se puede **c** no hay que
4 En los restaurantes españoles __________ fumar. Está prohibido.
a no hay que **b** no se puede **c** hay que
5 __________ leer el primer episodio para comprender el argumento de la historia.
a hay que **b** no se puede **c** se puede
6 En el cine __________ hablar cuando empieza la película.
a hay que **b** no se puede **c** no hay que
7 __________ ser muy inteligente para resolver ese problema tan difícil.
a hay que **b** se puede **c** no hay que
8 Para jugar al fútbol __________ ser muy alto. Para jugar al baloncesto, sí.
a hay que **b** no se puede **c** no hay que
9 __________ añadir demasiada sal a la comida. No es saludable.
a hay que **b** se puede **c** no hay que

13 Tiempo libre

A Un lugar para vivir

1 Ordena las frases.

1 comprar / gustaría / Nos / un / en / playa / la / piso
Nos gustaría comprar un piso en la playa.
2 trabajo /cambiar / Lola / gustaría/ de / A / le
____
3 marido / en / orquesta / gustaría / le / A / mi / trabajar / una
____
4 ¿gustaría / a / ver / película / ir / Te / una ?
____
5 ¿le / A / Ud. / coche / de / gustaría / cambiar?
____
6 ganar / gustaría / Me / dinero / más
____
7 ¿de / ir / Os / vacaciones / a / gustaría / Mallorca?
____
8 nuclear / vivir / gustaría / cerca / una / me / No / central / de
____
9 ¿ópera / la / viernes / ir / Les / tarde / gustaría / por / a / el / la?
____
10 ¿cenar / Os / sábado / con / próximo / el / nosotros / gustaría?
____

ESCUCHAR

2 16 Roberto es estudiante y está buscando piso. Escucha y completa la conversación.

A Buenos días, ¿en qué puedo ayudarte?
B __________, estoy buscando un piso o un apartamento de alquiler para __________.
A ¿Lo quieres muy céntrico o en un barrio?
B Mejor __________, es que me gusta salir __________ y no me gustan los autobuses.
A Sí... bueno, aquí tenemos un apartamento de __________, muy cerca de la plaza Mayor, reformado.
B ¿__________ ese?
A Son __________ € al mes.
B ¡Qué barbaridad! ¿No tienen otros __________?

A Sí, claro, pero no están en el centro, __________ o el metro para llegar al centro. Aquí hay uno a __________ € al mes.
B Ese está bien. ¿Dónde está?
A En Getafe, a __________ km de Madrid. Pero está muy bien __________.
B ¿En Getafe? Bueno, creo que lo pensaré y volveré __________.

3 Escribe el nombre correspondiente.

1 El lugar donde se guarda el coche. *Garaje.*
2 La habitación donde se hace la comida.
____
3 ¿Dónde duermes?
____
4 El lugar donde hay un sofá, un sillón y donde puedes ver la tele.
____
5 Donde hay una mesa y varias sillas para comer, normalmente.
____
6 ¿Dónde te duchas?
____
7 Donde están los árboles, las plantas, el césped...
____
8 Lugar donde guardas la ropa.
____
9 ¿Dónde haces el fuego?
____
10 ¿Dónde te miras para peinarte?
____

4 Sopa de letras. Encuentra 9 nombres de cosas de casa.

M	R	P	B	C	U	H	O	Y
Q	E	R	X	A	V	O	N	L
A	L	F	O	M	B	R	A	D
R	A	N	F	A	S	N	T	U
M	V	S	I	L	L	O	N	C
A	A	Q	P	Y	R	E	N	H
R	B	X	N	E	V	E	R	A
I	O	M	E	T	R	U	P	Ñ
O	N	S	I	L	L	A	U	C

B ¿Qué has hecho el fin de semana?

1 Elige el verbo adecuado.

1 A ¿Qué has hecho / hiciste este fin de semana?
B Nada especial. El sábado he visto / vi una película en la tele y el domingo he ido / fui a ver a mis padres.

2 A Ayer te he llamado / llamé por teléfono y no te he encontrado / encontré.
B Sí, es que he ido / fui con un amigo a ver una exposición de instrumentos musicales antiguos.

3 A ¿Dónde has estado / estuviste estas vacaciones de Semana Santa?
B En mi pueblo. He visto / vi todas las procesiones que han salido / salieron.

4 A Sonia, ¿dónde has estudiado / estudiaste español?
B En la playa. Hace un año he venido / vine de vacaciones a la Costa del Sol y he conocido / conocí a un chico español muy simpático y hemos empezado / empezamos a salir. Me he matriculado / Me matriculé en una academia para aprender español.
A ¿Sigues saliendo con ese chico?
B No, qué va, lo he dejado / dejé hace tres meses.

5 A ¿Sabes que Eduardo ha tenido / tuvo un accidente?
B No, ¿cuándo?
A La semana pasada. Ha chocado / Chocó con un camión, ha sido / fue horrible, está en el hospital de La Paz.

6 A ¿Has hablado / Hablaste con Diego últimamente?
B Pues no, es que estas semanas he estado / estuve muy ocupado. ¿Por qué?
A Por nada, es que el fin de semana pasado ha roto / rompió con Paula y ha estado / estuvo muy deprimido estos días.

7 A ¿Habéis caminado / caminasteis alguna vez por esta zona?
B Sí, hemos venido / vinimos muchas veces.

2 ¿Has visto estas películas? Da tu opinión y completa la tabla con el vocabulario de los recuadros.

un musical • de ciencia-ficción
una comedia • un drama • de terror
del oeste • de guerra • de acción

romántica • aburrida • interesante
divertida • horrible • desagradable
original • emocionante • rara • maravillosa

PELÍCULA	GÉNERO	TU OPINIÓN
Titanic		
El diario de Bridget Jones		
Avatar		
Chicago		
El exorcista		
La guerra de las galaxias		
El señor de los anillos		
Sin perdón		

3 17 Escucha la siguiente entrevista con Pedro y contesta a las siguientes preguntas.

1 ¿Con qué frecuencia va Pedro al cine?

____

2 ¿Qué tipo de películas le gustan?

____

3 ¿Tiene un actor favorito?

____

4 ¿Qué actriz le gusta más?

____

5 Di una de sus películas favoritas.

____

6 ¿Ha visto alguna película española últimamente? ¿Cuál?

____

7 ¿Qué otras actividades le gusta hacer cuando sale con sus amigos?

____

4 Lee la encuesta y completa las conclusiones con las palabras del recuadro.

casi todo el mundo • muy pocas
la mayoría (x 2) • casi la mitad • todo

Los jóvenes van de compras

1 ¿Con qué frecuencia vas de compras?
- **a** Todas las semanas. (40%)
- **b** Una o dos veces al mes. (30%)
- **c** Casi nunca. (10%)
- **d** Otras respuestas. (20%)

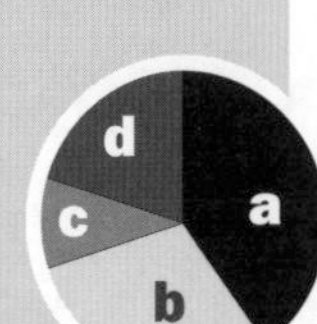

2 ¿Qué cosas sueles comprar?
- **a** Ropa. (40%)
- **b** Juegos de ordenador. (10%)
- **c** Películas/música. (20%)
- **d** Otras respuestas. (30%)

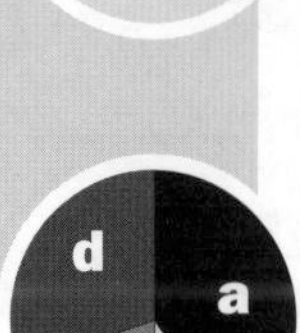

3 ¿Dónde sueles ir de compras?
- **a** Grandes almacenes. (30%)
- **b** Pequeño comercio. (30%)
- **c** Mercadillos. (30%)
- **d** Otras respuestas. (10%)

4 ¿Sueles pedir bolsas de plástico en las tiendas?
- **a** No, siempre llevo la mía. (10%)
- **b** No, pongo las compras en mi mochila. (20%)
- **c** Sí, siempre. (70%)
- **d** Otras respuestas. (0%)

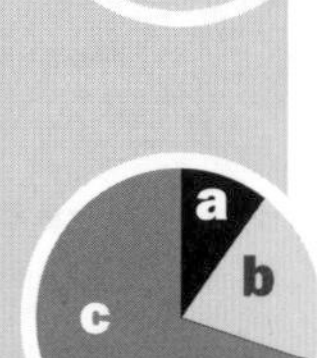

Resumen

Aquí tenemos algunas conclusiones sobre los hábitos de consumo de los jóvenes entrevistados.

- (1) ____________ de las personas entrevistadas va de compras habitualmente. (2) ____________ va todas las semanas.
- (3) ____________ compra ropa principalmente.
- Los jóvenes compran en (4) ____________ tipo de establecimientos: grandes almacenes, pequeño comercio o mercadillos.
- (5) ____________ personas utilizan sus propias bolsas. (6) ____________ de ellas utiliza las bolsas de plástico de las tiendas.

C ¿Quién te lo ha regalado?

1 Completa el siguiente cuadro de pronombres.

SUJETO	OBJ. DIRECTO	OBJ. INDIRECTO
yo		
	te	
		le / se
nosotros/as		
	os	
	los / las	

2 Sustituye los nombres por los pronombres correspondientes.

1 Dame el libro. *Dámelo.*
2 Estudia los verbos.
______.
3 Regálale ese anillo a Rosa.
______.
4 Tráeme las llaves.
______.
5 Compra un paquete de folios para Pedro.
______.
6 Manda un fax al director.
______.
7 Dale las llaves al portero.
______.
8 Recuerda a Juan la hora de la reunión.
______.
9 ¿Os devolvió Pilar los discos?
______.
10 Me contaron tus problemas.
______.
11 Cierra la ventana.
______.
12 Cómete el filete. ______.
13 Dale las pinturas a tu hermana.
______.
14 ¿Enviaste el paquete a Juan y Elena?
______.

3 Contesta con el pretérito perfecto o pretérito indefinido, como en el ejemplo.

1 **A** ¿Le has dado el libro a la profesora?
B Sí, *se lo he dado está mañana*.

2 **A** ¿Le has contado a tu madre lo que ha pasado?
B Sí, ______ esta mañana.

3 **A** ¿Le has llevado la merienda a Rosalía?
B No, todavía no ______.

4 **A** ¿Le has devuelto el coche a Óscar?
B Sí, ______ el sábado.

5 **A** ¿Le has explicado a Julia lo que tiene que hacer?
B Sí, ______ esta mañana.

6 **A** ¿Te han dado las notas?
B Sí, ______ el lunes.

7 **A** ¿Te ha dado la receta el médico?
B Sí, ______ ayer.

8 **A** ¿Les has comprado un helado a los niños?
B Sí, ______ para después de comer.

9 **A** ¿Os han dado ya los papeles de residencia?
B Sí, ______ el mes pasado.

10 **A** ¿Os han traído ya las bebidas?
B Sí, ______ ahora mismo.

4 Completa las frases con el pronombre correcto.

1 Mi mujer trabaja cerca de mi oficina. Yo siempre *la* llevo en coche.
2 Ese libro me interesa. ¿Me ____ prestas?
3 Vamos a tomar algo, ____ invito.
4 ¿____ sabes conducir?
5 ¡No hagáis ruido! ____ lo pido por favor.
6 ¡Qué pendientes tan bonitos! ¿Quién ____ ____ ha regalado?
7 He perdido mis gafas, ¿____ has visto?
8 Iban demasiado deprisa y la policía ____ puso una multa.
9 ____ juego al golf mejor que tú.
10 ¿____ has pedido el dinero a tu padre?, ____ necesitamos ya.

14 Antes y ahora

A No había tantos coches

1 Completa.

CANTAR	TENER
yo *cantaba*	yo ________
tú ________	tú *tenías*
él/ella/Ud. ________	él/ella/Ud. ________
nosotros ________	nosotros ________
vosotros________	vosotros ________
ellos/as/ Uds. ________	ellos/as/ Uds. ________

DORMIR	SER
yo ________	yo ________
tú ________	tú ________
él/ella/Ud. ________	él/ella/Ud. ________
nosotros *dormíamos*	nosotros ________
vosotros ________	vosotros *erais*
ellos/as/ Uds. ________	ellos/as/ Uds. ________

2 ¿Qué hacías tú cuando eras adolescente? Escribe frases afirmativas o negativas.

1 Hacer natación.
Yo hacía natación. / Yo no hacía natación.
2 Salir de noche.
____
3 Tener moto.
____
4 Leer cómics.
____
5 Ir a conciertos de rock.
____
6 Estudiar en la universidad.
____
7 Trabajar en verano.
____
8 Viajar al extranjero.
____
9 Comer hamburguesas.
____
10 Compartir piso con otros estudiantes.
____
11 Vestir de otra manera.
____
12 Pertenecer a una tribu urbana.
____
13 Ser voluntario de una ONG.
____
14 Ir de vacaciones a mi pueblo.
____

3 Escribe la forma correcta del pretérito imperfecto.

1 En el siglo XIX la gente *viajaba* (viajar) muy poco.
2 Cuando yo era pequeño, los niños ________ (jugar) en la calle.
3 Todos los veranos, mi familia y yo ________ (ir) a casa de mis abuelos.
4 Antes los agricultores ________ (trabajar) de sol a sol.
5 Cuando nosotros ________ (vivir) en la costa, a mí me ________ (gustar) mirar al mar.
6 A principios del siglo XX, en las casas de los pueblos no ________ (haber) agua corriente.
7 Cuando le conocí, Antonio ________ (estudiar) Medicina.
8 Hacía diez años que yo no ________ (ver) un eclipse de sol.
9 Cuando mi hermana ________ (tener) cinco años, yo ________ (tener) quince, nos llevamos diez años.
10 Cuando Luis ________ (ser) niño no ________ (haber) metro en su barrio, solo ________ (haber) autobús.
11 Antes mis hijos ________ (estudiar) música en el conservatorio, pero ahora están en la universidad y no tienen tiempo.
12 Ayer, mientras mi mujer ________ (ver) un película en internet, yo ________ (hacer) la comida.
13 Luisa y Carlos ________ (ser) muy buenos amigos de pequeños: ________ (pasar) mucho tiempo juntos, ________ (ir) al mismo colegio. Pero ahora ya no se ven.

4 Completa las frases con la forma adecuada (pretérito imperfecto o indefinido) de los verbos entre paréntesis.

1 Cuando _tenía_ (tener) dieciséis años, _fui_ (ir) de vacaciones a Mallorca.
2 La primera vez que yo ______ (comer) paella no me ______ (gustar) porque ______ (tener) guisantes.
3 Cuando mi hermana y yo ______ (vivir) en Londres, ______ (conocer) a nuestro amigo Peter.
4 Juan ______ (ir) ayer de compras, pero no ______ (encontrar) lo que estaba buscando.
5 Cuando ______ (estar, yo) en Praga, el hotel ______ (estar) muy lejos del centro.
6 Ayer me ______ (llamar, ellos), pero yo no ______ (estar) en casa.
7 La semana pasada ______ (ir) tres veces al cine.
8 Ayer, cuando ______ (ir, nos.) a recoger a Laura del colegio, ______ (encontrarse, yo) con Vicenta.
9 Anoche Luis ______ (estar) muy cansado y ______ (acostarse) pronto.
10 Mis amigos no ______ (venir) ayer a mi casa porque yo ______ (estar) enferma.
11 Como Óscar ______ (estar) cansado, el domingo no ______ (salir)
12 El fin de semana ______ (hacer) muy mal tiempo y por eso ______ (quedarse, nosotros) en casa.
13 Federico ______ (llamar) al médico, pero no lo ______ (encontrar) en la consulta.
14 Lo siento, no ______ (poder) contestar a tu mensaje porque ______ (estar) en el teatro.

5 Completa el texto con las formas verbales adecuadas (pretérito indefinido o pretérito imperfecto).

EN EL AUTOBÚS

El otro día, Leo (1) _iba_ (ir) en el autobús y (2)____ (ver) a una chica que (3)______ (estar) leyendo un libro. Leo (4)____________ (acercarse) y le (5)_________ (preguntar) el nombre del autor. La chica le (6)________ (contestar) que (7)____ (ser) estudiante de literatura y (8)______ (tener) otros libros del mismo autor. Cuando ellos (9)_______ (bajarse), (10)_________ (estar) charlando durante un buen rato y después (11)______ (quedar) para el día siguiente para prestarse un libro.

ESCUCHAR

6 18 Escucha a Jaime contando su experiencia en el extranjero y contesta a las siguientes preguntas.

1 ¿Cuándo se fue Jaime a Inglaterra?
____
2 ¿A qué hora cerraban las tiendas?
____
3 ¿Cómo es el clima en Inglaterra?
____
4 ¿De dónde es Jaime?
____
5 ¿Qué echaba de menos?
____
6 ¿Qué hacían cuando hacía buen tiempo?
____
7 ¿Cómo recuerda esos meses en el extranjero?
____

B Yo no gano tanto como tú

1 Contesta a las siguientes preguntas, como en el ejemplo.

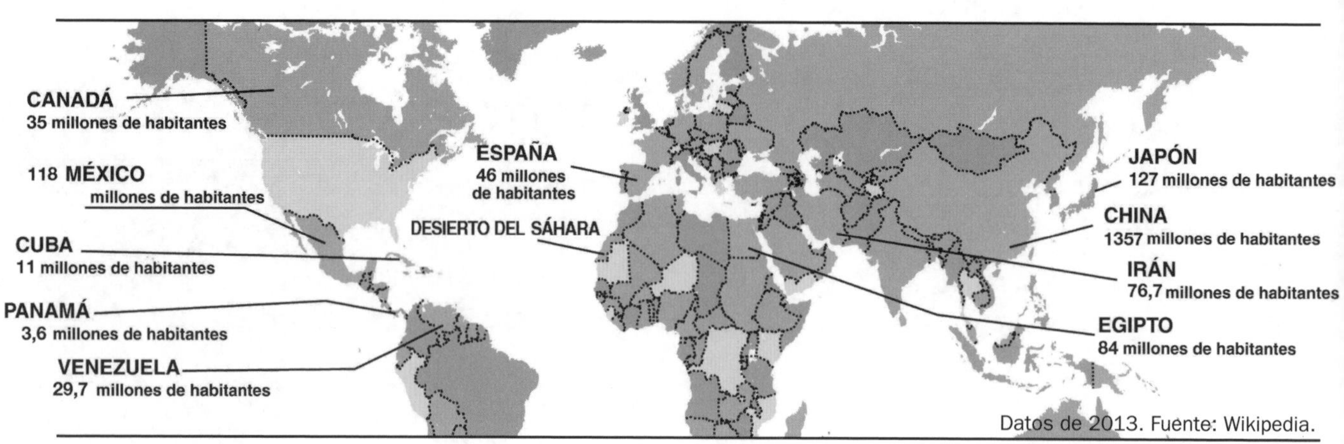

1 ¿Qué país es más grande, México o Panamá?
México es más grande que Panamá.
2 ¿Dónde hay menos habitantes, en China o en Irán?
______
3 ¿Qué está más al sur, Egipto o Japón?
______
4 ¿Hace tanto calor en Cuba como en Canadá?
______
5 ¿Dónde llueve menos, en Venezuela o en el desierto del Sahara?
______
6 ¿Qué país es más pequeño, Cuba o España?
______
7 ¿Qué país tiene más población, Egipto o Canadá?
______
8 De los países del mapa, ¿cuál tiene menos habitantes?
______
9 ¿Cuántos habitantes más tiene España que Canadá?
______
10 ¿Cuántos habitantes más tiene Egipto que Irán?
______

2 Elige la respuesta correcta.

1 Sara es *más* alta que su hermana.
a tan **b** más **c** como
2 Andrés es ____ más guapo de la clase.
a la **b** tan **c** el
3 La habitación de Luis es ____ grande como la de Pedro.
a tan **b** más **c** menos
4 El sillón es ____ cómodo que la silla.
a el más **b** tan **c** más
5 Su última película es ____ que la anterior.
a mejor **b** mayor **c** buena
6 Brasil es el ____ productor de café.
a más **b** igual **c** mayor
7 Fue el ____ partido de la temporada.
a peor **b** bueno **c** malo
8 Tu ordenador es ____ moderno que el mío.
a tan **b** más **c** igual

3 Escribe frases sobre los planetas, utilizando el superlativo como en el ejemplo.

1 Mercurio / próximo / Sol.
Mercurio es el planeta más próximo al Sol.
2 Marte / cercano / Tierra.
______
3 Plutón / distante / Sol.
______
4 Venus / caluroso.
______
5 Júpiter / grande.
______
6 Mercurio / difícil de ver.
______
7 Marte / parecido a la Tierra.
______
8 Venus / brillante.
______

C Moverse por la ciudad

1 Elige la frase más parecida al significado original.

1 Ellos viven enfrente de nosotros.
  a *Su casa está al otro lado de la calle.*
  b Su casa está torciendo a la izquierda.
2 Juan está sentado al lado mío.
  a Nadie está sentado entre nosotros.
  b Alguien está sentado entre nosotros.
3 La casa está cerca de la iglesia.
  a La casa está a poca distancia de la iglesia.
  b La casa está a mucha distancia de la iglesia.
4 Juan vive lejos de mi casa.
  a Entre la casa de Juan y la mía no hay mucha distancia.
  b Entre la casa de Juan y la mía hay mucha distancia.
5 El jardín está detrás de la casa.
  a Frente a la casa hay un jardín.
  b A espaldas de la casa hay un jardín.
6 A los lados de la casa hay dos tiendas de ropa.
  a La casa está entre dos tiendas de ropa.
  b A la derecha de la casa hay dos tiendas de ropa.
7 Al lado de la entrada hay un jardín.
  a Cerca de la entrada hay un jardín.
  b Lejos de la entrada hay un jardín.
8 Cruzando la calle hay una parada de autobús.
  a La parada de autobús está delante.
  b La parada de autobús está enfrente.

2 Busca en la sopa de letras el nombre de ocho medios de transporte.

A	U	T	O	B	U	S	A	C	E
M	B	D	F	I	G	T	R	E	N
H	O	I	K	C	L	N	O	Q	S
A	T	T	U	I	V	Y	A	D	F
V	G	A	O	C	H	J	L	M	M
I	N	X	O	L	P	R	T	E	U
O	V	I	X	E	Y	A	F	T	G
N	H	A	U	T	O	C	A	R	I
J	L	N	P	A	Q	S	U	O	V
Z	X	C	V	B	N	M	O	Q	W

3 Lee el siguiente artículo de prensa. Después contesta a las preguntas.

Atascos kilométricos
en el regreso de vacaciones de Semana Santa

La operación retorno de Semana Santa que acaba hoy, provocó ayer atascos de hasta 30 kilómetros, principalmente en las carreteras de entrada a Madrid, Barcelona y Sevilla. Además, la lluvia, el hielo y la niebla hicieron más difícil la circulación en carreteras del sur y el norte de España.

Salieron a la carretera más coches de lo esperado, debido a que había huelga de autocares.

Por otra parte, los vuelos funcionaron con normalidad en el aeropuerto de Barajas. No se produjeron retrasos destacables. Más de mil aviones tomaron parte en la operación retorno en este aeropuerto, transportando a un total de 170 000 pasajeros.

(Adaptado de *EL PAÍS*)

1 ¿Cuándo se produjeron los problemas de tráfico?
____
2 ¿Dónde se produjeron los atascos más importantes?
____
3 ¿Qué circunstancias meteorológicas complicaron la operación retorno?
____
4 ¿Qué problema laboral complicó aún más la operación retorno?
____
5 ¿Qué medio de transporte funcionó con toda normalidad?
____

Practica más 7

Unidades 13 y 14

1 Escribe frases usando *me / te / le... gustaría* + infinitivo.

1 Sergio tiene mucha hambre.
Le gustaría comer una pizza gigante.
2 Miguel y María viven lejos de sus hijos y nietos.
____
3 El coche de Alberto tiene 14 años.
____
4 Marta vive en un piso pequeño y antiguo.
____
5 Nosotros no tenemos mucho dinero.
____
6 En mi trabajo actual trabajo mucho y me pagan poco.
____
7 María tiene que examinarse para entrar en la universidad.
____
8 Todos los días me levanto a las 6 de la mañana para ir a trabajar.
____
9 Pedro es hijo único, no tiene hermanos.
____
10 Juan nunca ha visto un partido de fútbol en un estadio.
____
11 Alicia canta muy bien.
____

2 Completa las frases utilizando el *pretérito indefinido* o el *pretérito perfecto*.

1 _________ (yo/viajar) a más de diez países diferentes.
2 Mi hermana _________ (vivir) en Toledo cuando era joven.
3 ¿ _________ (tu/trabajar) alguna vez en otra ciudad?
4 En el año 2005, _________ (nosotros/hacer) un recorrido por Marruecos.
5 Nunca _________ (yo/montar) en moto.
6 ¿ _________ (vosotros/ver) la última película de Almodóvar?
7 Juan y yo _________ (conocerse) hace diez años.
8 ¿A qué hora _________ (tú/llegar) ayer al aeropuerto?
9 El año pasado mi padre _________ (vender) la casa.
10 ¿No _________ (tú/estar) nunca en Granada?

3 Completa con el pronombre adecuado.

1 Pepe *me* quiere mucho. (a mí)
2 Yo no ______ conozco. (a ella)
3 Ellos no ______ ven mucho. (la tele)
4 ¿Tú ______ conoces? (a mis padres)
5 Yo no ______ escucho siempre. (a mi jefa)
6 ¿Vosotros ______ esperáis? (A Julia)
7 Yo ______ espero. (a ti)
8 Nosotros ______ esperamos. (a usted)
9 ¿Tú ______ quieres? (a María)
10 Rocío ______conoce bien. (a mi marido)
11 ¿Tú ______ esperas? (a nosotros)
12 ¿Quién ______ ha comprado? (las patatas)

4 Completa con el pronombre y el verbo *gusta* o *gustan*.

1 A Luis no *le gusta* mucho el fútbol.
2 A Rosa _______ andar por el campo
3 A nosotras no _______ salir por la noche
4 A mis hijos no _______ mucho leer.
5 ¿A Ud. _______ viajar?
6 ¿A ti _______ los dulces?, toma uno.
7 A mis hijos _______ las películas de dibujos animados.
8 A mi padre _______ leer biografías.

5 Forma frases:

1 Juan / doler / espalda.
A Juan le duele la espalda.
2 Lucía / encantar / ir de compras.
3 Mis hijos / gustar / quedarse / en casa.
4 Óscar / doler / las piernas.
5 Los españoles / encantar / siesta.
6 Irene / gustar / no mucho / leer.
7 Ellos / no gustar / alcohol.
8 Luis / molestar / el ruido.

6 ¿Pretérito imperfecto o pretérito indefinido?

1 Cuando yo (ser) *era* estudiante, (trabajar) ________ en un restaurante.
2 Cuando me (tocar) ________ la lotería, me (comprar) ________ un piso nuevo.
3 El sábado pasado (ir, nosotros) ________ de compras, pero todo (estar) ________ muy caro.
4 Como (hacer) ________ mucho frío, yo no (salir) ________.
5 Antes mi marido (tocar) ________ en un grupo de música; años después lo (dejar) ________.
6 Ayer (quedar, yo) ________ con Enrique y Ana, pero no (venir) ________.
7 Antonio (querer) ________ venir a la fiesta, pero el coche (estropearse) ________.

7 Elige el adjetivo correcto de cada pareja.

claro-a / oscuro-a • antiguo-a / moderno-a
largo-a / corto-a • caro-a / barato-a
ancho-a / estrecho-a • grande / pequeño-a
rico-a / pobre • limpio-a / sucio-a

1 Ese niño no sabe andar.
Es muy *pequeño.*
2 No me lo puedo comprar.
Es muy ________.
3 Esa camisa azul es casi negra.
Es muy ________.
4 No tengo tiempo de limpiar.
La casa está muy ________.
5 La película duró demasiado.
Fue muy ________.
6 Mi coche no cabe en ese aparcamiento.
Es muy ________.
7 Este edificio es del siglo XVI.
Es muy ________.
8 A mi abuelo le ha tocado la lotería.
Es muy ________.
9 Mi hermana siempre viste a la moda.
Es muy ________.
10 Esta chica no soporta el polvo.
Su habitación siempre está muy ________.
11 Este viaje no dura mucho.
El trayecto es muy ________.

8 Elige la opción correcta.

1 Andrés es *más* alto que su hermano.
a que b más c tan

2 Mi coche nuevo es ______ que el antiguo.
a tan b como c mejor

3 Las habitaciones de Elena y Rosa son iguales. La habitación de Elena es ______ grande como la de Rosa.
a tan b que c más

4 La silla es ______ cómoda que el sillón.
a tan b menos c menor

5 Elisa es más simpática ______ su compañera.
a como b peor c que

6 La mesa de madera no es tan antigua ______ la de hierro.
a como b que c menos

7 Luis tiene tres años menos que Nacho. Nacho es ______ que Luis. Luis es ______ que Nacho.
a mayor b menor c como

8 Las notas de Carlos son muy malas. Son ______ que las de su hermana.
a mejor b peor c peores

9 La película del sábado es muy aburrida. Es ______ que la de la semana pasada.
a mejores b peor c peores

10 Juan tiene mucho tiempo libre. Está ______ ocupado que yo.
a tan b menos c como

11 Esta tienda es muy barata. Tiene ______ precios que las otras.
a buenos b mejor c mejores

12 Mi hermana gana ______ que su marido.
a tan b más c mayor

13 La nueva novela de este autor es ______ que la anterior.
a tan b menos c mejor

15 Cocinar

A Segunda mano

1 Lee los anuncios y busca la información.

TABLÓN DE ANUNCIOS El Universitario

Se venden coches nuevos y seminuevos. Mercado de ocasión. Teléfono: 98 616 20 37. Precios especiales para los alumnos de la universidad.

Si te interesa colaborar con el periódico de la universidad, puedes hacerlo. Pregunta por Carmen en el aula 214 o por Sara en el aula 218 del edificio B, por las mañanas. También puedes pasarte por el periódico.

COMPRO IMPRESORA de segunda mano. Preguntar por Daniel en el aula 327 del edificio B (mañanas).

VENDO BOTAS DE ESQUÍ. Marca nórdica, de este año, poco usadas. 65 € Llamar al teléfono **91 693 76 96** por las tardes y preguntar por Marcos.

COMPRO ropa de mujer de los años **60** y **70** para una obra de teatro. Preguntar por Rodolfo. **93 660 80 98**

Buscamos chico o chica para compartir piso. Habitación con baño, balcón y calefacción, muy cerca de la universidad. Interesados, llamar al **91 984 67 98** y preguntar por Bea.

1 ¿Por quién tienes que preguntar si quieres ayudar en el periódico de la universidad?

____

2 ¿Dónde está el piso para compartir?

____

3 ¿Qué quiere Daniel?

____

4 ¿Para qué quieren la ropa antigua de mujer?

____

5 ¿En qué anuncio ofrecen ventajas a los alumnos de la universidad?

____

6 ¿Cómo están las botas de esquí?

____

7 ¿Por quién hay que preguntar si quieres compartir el piso?

____

8 ¿Dónde puedes encontrar a Sara?

____

9 ¿Qué características tiene la habitación del piso a compartir?

____

10 ¿Con quién quiere Bea compartir su piso?

____

2 Imagina que necesitas los siguientes objetos. ¿En qué sección de *Segunda Mano* tienes que buscarlos?

- un frigorífico
- una cámara digital
- un piano
- un coche
- un piso de alquiler
- una moto
- un lavavajillas
- una guitarra eléctrica
- una cama
- un ordenador
- un disco de Shakira
- un bonsái
- un acuario

Motor	*Inmobiliaria*	*Informática*	*Imagen y sonido*	*Casa y hogar*

B En la compra

1 Completa con los nombres de frutas y verduras. Hay una palabra vertical escondida.

CRUCIGRAMA

			P		**A**		A	N	O	
P		M								
		N						A		
		L						A		
		M						T		N
			P		**R**					
		C						O		
			U		**A**					

2 Relaciona.

1 ¿Desea algo más?
2 ¿Cuánto es todo?
3 Quería una lechuga.
4 ¿Tiene pimientos?
5 Buenos días, ¿qué desea?
6 ¿Puede darme una bolsa?

a Son 10,20 euros.
b Sí, me quedan algunos, ¿cuántos quiere?
c No, gracias, nada más.
d Quería un kilo de naranjas.
e Sí, claro, tenga.
f Lo siento, no me queda ninguna.

3 Completa las preguntas con un indefinido: *algún, alguno, alguna, ninguno, nadie, nada...* Contesta siempre negativamente.

1 ¿Hay algún pimiento en el frigorífico?
No, no hay ninguno.
2 ¿Queda ________ lechuga para hacer ensalada?
________________________________.
3 ¿Hay ________ cine cerca de tu casa?
________________________________.
4 ¿Desea ________ más?
No, ________________________ gracias.
5 ¿Ha llamado ________ por teléfono?
No, ________________________________.
6 ¿Tienes aquí ________ foto de tus padres?
________________________________.
7 ¿Quieres tomar ________?
________________________________.
8 ¿Tienes ________ libro de yoga?
________________________________.
9 ¿Esperas a ________?
________________________________.

4 De las frases siguientes, ocho (incluyendo el ejemplo) son incorrectas. Encuentra cuáles son y corrígelas.

1 No hay ninguno limón en el frigorífico.
   ningún limón.
2 ¿Tienes algún disco de Enrique Iglesias?
3 ¿Hay algunas botella de agua en la nevera?
4 ¿Vive algún en el piso de arriba?
5 ¿Ha venido nadie a casa?
6 ¿Alguien ha visto mis gafas?
7 ¿Hoy no ha llamado nada por teléfono?
8 ¿Alguien ha visto nada del accidente?
9 ¿Algún de vosotros sabe algo?
10 No hay nadie tan alto como tú.
11 ¿No hay ningún con gafas en esta clase?

C Cocina fácil

1 Clasifica los platos en su lugar correspondiente de la carta.

cordero asado *ensaladilla rusa* *merluza* *lomo de cerdo* *menestra de verdura* *sopa castellana* *fruta del tiempo* *agua mineral* *helado* *vino* *ternera* *tarta* *flan*

MENÚ

Primer plato

____
____
____

Segundo plato

____
____
____

Postre

____
____
____

Bebidas

____
____
____

2 Completa la conversación en el restaurante.

CAMARERO: ¿(1) Qué van a tomar?
SEÑORA: Yo (2)________ quiero sopa castellana.
SEÑOR: Y yo (3)________ menestra de verdura.
CAMARERO: Muy bien, ¿y de (4)________?
ELLA: ¿Qué tal (5)________ el cordero?
CAMARERO: Riquísimo, (6)________ de Segovia.
ELLA: Pues (7)________ tomaré cordero.
ÉL: Yo prefiero pescado, tomaré (8)________.
CAMARERO: Muy bien, ¿y (9)________?
ÉL: Para beber pónganos (10)________ de vino de la casa y una botella de agua (11)________, por favor.
CAMARERO: ¿Vino (12)________ o tinto?
ÉL: Carmen, ¿tú (13)________ prefieres?
ELLA: Tinto, mejor, ¿no?
ÉL: Sí, una botella de (14)________ tinto.
CAMARERO: Muy bien, ahora mismo.

3 19 Escucha y comprueba.

4 Completa las frases impersonales con los verbos del recuadro.

se puede • se habla • se escribe
se cuecen • se ve • se sirve • se toma
se pronuncian • se oye • ~~se cena~~ • se ve

1 En España se cena muy tarde, a las diez.
2 Aquí no ____________ fumar.
3 Los macarrones ____________ en agua caliente.
4 ¿Huevo ____________ con *h* o sin *h*?
5 La carne ____________ con patatas fritas o ensalada.
6 Profesora, ¿puede hablar más alto? Aquí no ____________.
7 Cuidado con la niebla, no ____________ nada.
8 Pablo, cállate, no ____________ con la boca llena.
9 Con el pescado ____________ vino blanco.
10 La *b* y la *v* ____________ igual.
11 Paco, la tele no ____________ bien, ¿qué le pasa?

5 Lee el artículo y complétalo con las palabras del recuadro.

refrescos • ~~rito~~ • en • de • tapas • son • que • mayores • julio • acompañar variedad • gambas • hay • estudio • boquerones • Andalucía

Las preferencias DE VERANO de los andaluces

El queso, las aceitunas y el jamón son las tapas favoritas de los andaluces a la hora del aperitivo.

Tomar el aperitivo es un (1) rito social importante en Andalucía. Para celebrar ese rito (2)_________ verano, las (3)_________ preferidas por los andaluces (4)_________ el queso, las aceitunas y el jamón, acompañadas de una cerveza fresquita. Así lo afirma un (5)_________ realizado por la empresa Quota Unión/Sigma Dos a principios de (6)______ sobre una muestra de 1000 personas (7)_________ de 18 años.

Los datos (8)_________ la encuesta revelan (9)_________ las tapas más mencionadas por los encuestados son el queso, las aceitunas y el jamón, seguidas por las (10)_________ (30%), las patatas ali-oli, la tortilla, los (11)_________, el chorizo y la paella, en este orden.

A la hora de (12)_________ a las tapas, la bebida preferida por casi todos los encuestados es la cerveza, seguida de los (13)_________, el vino y los zumos.

En (14)_________ es donde se encuentra el origen del término tapa (porción de comida que tapaba los vasos de vino en las tabernas del sur de España). La gran cantidad de bares y cafeterías que (15)_________ en toda España permiten disfrutar de una gran (16)_________ de tapas y raciones.

(Adaptado de *EL PAÍS*)

16 Consejos

A Este verano, salud

1 Completa la tabla de imperativos.

AFIRMATIVO	NEGATIVO
(tú) bebe	
(Ud.) beba	
	no vengas
venga	
cállate	
	no te levantes
haz	

2 Contesta, como en el ejemplo.

1 No quiero ir a trabajar, quiero quedarme en casa.
Pues no vayas a trabajar, quédate en casa.

2 Quiero tomar un té, no un café.

____

3 Quiero salir, no quiero quedarme en casa.

____

4 Quiero ponerme los vaqueros, no la falda.

____

5 Quiero comer un bocadillo, no quiero comer pescado.

____

6 No quiero ir al cine, quiero ir a la discoteca.

____

7 Quiero sentarme aquí, no quiero andar más.

____

8 No quiero jugar a la lotería, prefiero gastar el dinero en otra cosa.

____

9 Quiero hacer algo especial estas navidades, no hacer lo mismo de siempre.

____

10 No quiero tener siempre tanta prisa, quiero relajarme un poco.

____

3 Escribe la forma negativa.

1 Dámelo *No me lo des*
2 Hazlos _______
3 Díselo _______
4 Ábrela _______
5 Tráela _______
6 Póntelo _______
7 Tráigalos _______
8 Llévala _______
9 Dímelo _______
10 Póngasela _______
11 Dígaselo _______

4 ¿Cuándo se dice...? Relaciona las frases con las situaciones.

1 En una oficina de empleo, un empleado a un joven. [g]
2 El padre a su hijo a la hora de dormir. ☐
3 El profesor a sus alumnos. ☐
4 La madre a su hijo pequeño. ☐
5 Alguien a su compañero/a de piso. ☐
6 Una persona en una oficina hablando por teléfono a alguien que quiere entrar. ☐
7 El médico al paciente. ☐
8 El cliente al camarero. ☐
9 Un cliente al vendedor del mercado. ☐
10 Un anuncio de una agencia de viajes. ☐
11 Un cartel en un vagón del metro. ☐

a Espere un momento, por favor.
b Acuéstate ya, son las 10.
c No coma muchas grasas ni dulces.
d Compra tú el periódico, yo no puedo.
f Jorge, no toques eso, es peligroso.
g Escribe aquí tus datos personales.
h No hagáis los ejercicios 3 y 4.
i Pónganos una ración de queso, por favor.
j No entren ni salgan después del toque de silbato.
k Deme un kilo de naranjas, por favor.
l ¡No te pierdas Extremadura!

5 Lee el texto y responde a las preguntas.

España vende la siesta

Una cadena de masajes ofrece un breve sueño de relajación para personas con estrés

La siesta ya se puede comprar. Una empresa barcelonesa oferta en sus establecimientos de salud y belleza un rato de sueño después de un breve masaje antiestrés por 12 euros.

Los científicos han demostrado que la siesta es buena porque es una necesidad biológica. Según el doctor Eduard Estivill, jefe de la Unidad de Trastornos del Sueño: "El cerebro pide desconectar dos veces al día, por la noche y entre las dos y las cuatro de la tarde".

Sin embargo, solo el 20% de los españoles practica esta sana costumbre, a causa del ritmo de la vida moderna.

En estos centros, el cliente primero recibe un masaje antiestrés que dura entre cinco y diez minutos. A continuación, se cubre con una manta y duerme unos veinte o treinta minutos.

Al doctor Estivill, la idea le parece muy buena, siempre que no se duerma más de 30 minutos. Si se duerme más tiempo, la gente despierta de mal humor.

Desde hace tiempo se sabe que dormir la siesta es bueno para el corazón y, sobre todo, mejora el rendimiento intelectual.

(Adaptado de *EL PAÍS*)

1 ¿Quién vende la siesta?

____

2 ¿Cuánto cuesta "una siesta"?

____

3 ¿Cuántos españoles duermen habitualmente la siesta?

____

4 ¿En qué consiste el tratamiento?

____

5 ¿Cuánto tiempo es recomendable dormir después de comer?

____

6 ¿Cuáles son los principales beneficios de dormir la siesta?

____

6 Relaciona.

1 Cuando Teresa está resfriada ☐
2 Antes de tomar el sol, Manu ☐
3 Cuando a Ignacio le duele la espalda ☐
4 Cuando a Isabel le duele la cabeza ☐
5 Cuando a Lucía le duele el estómago ☐
6 Cuando Pablo se siente sin fuerzas ☐
7 Cuando Laura tiene insomnio ☐
8 Cuando Arturo está estresado ☐
9 Cuando a Eva le duelen las muelas ☐

a se pone crema protectora.
b toma miel con limón y zumo de naranja.
c toma vitaminas.
d toma una aspirina.
e hace dieta.
f no levanta cosas pesadas.
g va al dentista lo antes posible.
h hace ejercicios de relajación.
i toma un vaso de leche caliente antes de acostarse.

7 20 Escucha la entrevista que le hacen a una actriz y modelo famosa. Señala V o F.

1 Empezó a trabajar en 1987. F
2 Maribel Rojo está soltera. ☐
3 Hace deporte de vez en cuando. ☐
4. No come carne. ☐
5 Le gustan mucho los dulces. ☐
6 No le gusta andar. ☐
7 No se cuida demasiado el cutis. ☐

B Mi jefe está de mal humor

1 Relaciona.

1 abierto	**a** estupendo
2 lleno	**b** cerrado
3 sucio	**c** arreglado
4 libre	**d** ocupado
5 estropeado	**e** limpio
6 fatal	**f** vacío
7 enfermo	**g** descansado
8 cansado	**h** sano

2 Mira los dibujos y completa con un adjetivo de la actividad anterior.

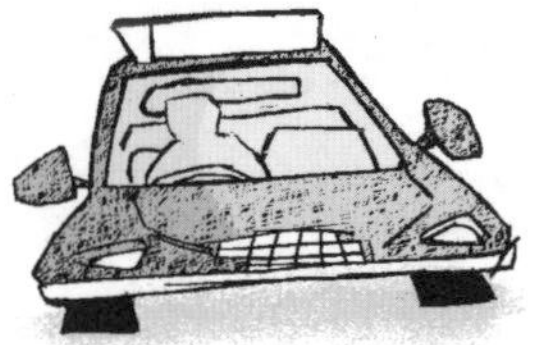

1 Ese taxi está libre.
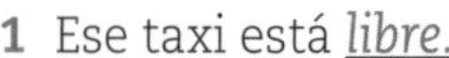

2 La farmacia está _______

3 El teatro está _______

4 La calle está _______

5 El ascensor está _______

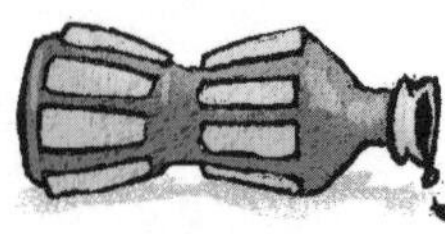

6 La botella está _______

7 Ese taxi está _______

3 Completa las frases con los verbos *ser, estar, tener.*

1 **A** ¿Sabes? He conocido a una chica.
B ¿Sí? ¿Cómo es?
A Pues _______ bastante alta, morena. _______ 21 años. _______ el pelo castaño, largo y liso.
B ¡Vaya! ¿Y a qué se dedica?
A _______ economista, pero ahora _______ estudiando Derecho.

2 **A** ¿Qué le pasa a Rosa?
B Creo que _______ preocupada porque en su empresa _______ despidiendo a mucha gente.

3 **A** ¿Qué tal el piso nuevo?
B El piso (1)_______ muy bien, pero el barrio (2)_______ fatal. Las calles (3)_______ sucias, los coches (4)_______ mal aparcados, los teléfonos de las cabinas (5)_______ estropeados, no funcionan. Bueno, menos mal que el parque (6)_______ grande y (7)_______ muchas flores.

4 **A** ¡Qué coche tan bonito! ¿_______ nuevo?
B ¡Qué va! Ya tiene ocho años, pero _______ nuevo porque lo uso poco.

5 **A** ¿Por qué no te tomas ya el café?
B No puedo, _______ muy caliente.

6 **A** ¿_______ libre esta silla?
B No, _______ ocupada.

7 **A** ¿Qué te pasa?
B Que _______ harta de limpiar, cocinar, comprar, planchar, _______ harta de todo.

8 Esta película _______ muy aburrida.

9 No te pongas esos pantalones, _______ sucios.

10 **A** ¿Qué le pasa a Ismael?
B Nada, _______ que _______ nervioso porque mañana _______ el examen de conducir.

11 La casa de mi primo _______ muy bonita, _______ muchas habitaciones, pero _______ muy lejos del centro de la ciudad.

12 Pedro _______ muy bien preparado, _______ ingeniero, pero, en estos momentos, no _______ trabajo.

C ¡Que te mejores!

1 Completa la tabla con las formas del presente de subjuntivo.

HACER	TENER	IR	SER	ESTAR
haga				
	tengas			
		vaya		
			seamos	
				estéis
hagan				

2 Completa las frases con el verbo en la forma adecuada.

1 Espero que (estar, tú) _estés_ bien.
2 Esperamos que (tener, tú) ______________ un buen viaje.
3 Mi madre espera que (encontrar, yo) ______________ un buen trabajo.
4 Rosa espera que su novio (venir) ______________ el domingo.
5 Yo espero que ellos (hacer) ______________ mañana la comida.
6 Espero que (ponerte) ______________ el traje nuevo para la boda de Rocío.
7 Roberto espera (encontrar) ______________ un buen trabajo pronto.
8 Espero que no (comar) ______________dulces, Pedro, no te sientan bien.
9 Esperamos que (ir, ustedes) ______________ a vernos al pueblo.
10 El Presidente espera (ganar, él) ______________las elecciones otra vez.
11 Todos esperan que este año (ganar) ______________ la Liga el Real Madrid.
12 Los padres de Teresa esperan que (sacar) ______________ buenas notas.
13 Espero que (salir, nosotros) ______________ en Nochevieja.
14 Rocío espera que Sofía no (estar) ______________ enfadada con ella por olvidarse de su cumpleaños.

3 ¿Qué se dice en estas situaciones?

1 A alguien que está enfermo.
¡Que te mejores!
2 A alguien que sale de viaje.
____
3 A unos recién casados.
____
4 A alguien que tiene un examen mañana.
____
5 A alguien que va a dormir.
____
6 A alguien que va a una fiesta.
____
7 A alguien en su cumpleaños.
____
8 A alguien que va a empezar a comer.
____

4 Lee y completa el correo electrónico de Bea a Javier.

beca • espero • Este • a • pronto
besos • ~~Hola~~ • apruebo • vacaciones
verte • mejorar • diviertas

¡(1) _Hola_, Javi!

Belén me ha dicho que estás estudiando en París con una (2)__________ Erasmus. ¡Qué bien! ¿Cómo te va? A mí me gustaría ir el año que viene (3)__________ Londres para (4)__________ mi inglés, (5)__________ que me den una beca. Si no tengo beca, iré y me buscaré un trabajo. (6)__________ año estoy estudiando mucho, a ver si (7)__________ todas las asignaturas en febrero y junio.

Pronto son las (8)__________ de Navidad, ¿vas a venir a casa? Espero (9)__________ en la fiesta de Nochevieja, como cada año.

Bueno, Javi, hasta (10)__________, espero que estudies mucho, que te (11)__________ y que me escribas.

Muchos (12)__________ de Bea.

Practica más 8

Unidades 15 y 16

1 Completa las frases con *algo, alguien, nada, nadie, algún, alguna, alguno, algunos, algunas, ningún, ninguna, ninguno.*

1 ¿A alguien le molesta que abra la ventana?
2 ¿Te gustaría tomar ______?
3 Mis amigos no quisieron beber ______.
4 El accidente parecía muy grave, pero afortunadamente no hubo ______ herido.
5 Hicimos ______ fotografías, pero ______ salió bien.
6 No queda ______ huevo en la nevera.
7 ¡En ______ sitio tienen que estar mis gafas!
8 ¿Por qué estás mirando debajo de la cama? ¿Has perdido ______?
9 Salió de casa sin decir ______ a ______.
10 ¿Tienes ______ noticia de ellos?
11 ______ está llamando a la puerta. ¿Puedes abrir?
12 No he leído ______ de sus novelas.

2 Contesta a las siguientes preguntas utilizando *nada, nadie, ningún, ninguna, ninguno.*

1 ¿Qué estás haciendo? Nada.
2 ¿Cuántos hijos tienen? ________.
3 ¿Quién está hablando? ________.
4 ¿Qué comisteis? ________.
5 ¿Adónde fueron? A ________ sitio.
6 ¿Con quién bailaste? Con ________.
7 ¿Qué os regalaron? ________.
8 ¿Qué compraste? No había ________ tienda abierta.
9 ¿A quién viste en la fiesta? No había ________ conocido.
10 ¿Qué película visteis? ________.
11 ¿Dónde está Ana? ________ sabe dónde está.
12 ¿Quién ha visitado el Museo del Prado? ________ de nosotros hemos estado en Madrid.

3 ¿Cómo se hace el "arroz con leche"?

1 (hervir) Se hierve la leche.
2 (echar) ________ el arroz.
3 (añadir) ________ el azúcar y la canela en rama.
4 (cocer) ________ durante veinte minutos.
5 (añadir) ________ la canela en polvo.
6 (servir) ________ frío.

4 Ordena la siguiente conversación.

– A mí póngame una sopa de primero y de segundo un filete. ☐
– Buenos días, ¿qué desean comer? 1
– Vino y casera, por favor. ☐
– Yo también quiero sopa, pero de segundo quiero pollo. ☐
– ¿Y para beber? ☐
– No, muchas gracias. La cuenta, por favor. ☐
– ¿Tomarán algo de postre? ☐

5 Escribe la orden contraria.

1 Ponte este jersey, te queda muy bien.
No te pongas este jersey, te queda mal.
2 Siéntese aquí, la mesa está libre.
____
3 Coge mi coche, está arreglado.
____
4 Limpia la habitación, está sucia.
____
5 Llena la jarra del agua, está vacía.
____
6 Ve a comprar el periódico, el quiosco está abierto.
____
7 Cómprate este CD, está estupendo.
____
8 Tómate el café, está casi frío.
____
9 Ve a ver esa película, es muy buena.
____

6 ¿Qué se dice en estas situaciones?

1 Un chico de 15 años a su padre, cuando necesita dinero para comer en el instituto.
Papá, dame dinero para comer, por favor.
2 El profesor a sus alumnos antes de un examen. Ellos están mirando los libros.
____
3 Una señora al camarero en un restaurante. Necesita una cucharilla.
____
4 Una madre a sus hijos que llevan mucho tiempo viendo la tele.
____
5 Un padre a su hija al despertarle por la mañana.
____
6 Un médico a su paciente que fuma y no hace ejercicio.
____
7 Un profesor a sus estudiantes que están hablando demasiado alto.
____
8 Un policía a un conductor que iba muy rápido, en la carretera.
____
9 Una madre a su hijo que está comiendo mucho helado.
____

7 Sigue el modelo.

1 Ana / traer el pan.
Yo espero que Ana traiga el pan.
2 (él) / venir a verme.
____
3 (vosotros) / escribir pronto.
____
4 mi equipo / jugar bien.
____
5 mi hija / aprobar.
____
6 (vosotros) / estar bien.
____
7 (tú) / venir a mi boda.
____
8 (tú) / mejorarse.
____

8 Completa con uno de los verbos del recuadro en el tiempo adecuado, infinitivo o presente de subjuntivo.

jubilarse • ~~tener~~ • llamar • casarse • venir encontrar • salir • hacer • aprobar • sacarse

1 Espero que *tengas* buen viaje.
2 Esperamos que (vos.) _______________ a vernos a nuestra casa.
3 Tu madre espera que la _______________ por teléfono.
4 Ellos esperan que su hijo _______________ todas las asignaturas en junio, pero el hijo no estudia nada.
5 Olga quiere _______________ en junio, pero su novio no tiene prisa.
6 Rosa, espero que _______________ los deberes antes de ver la tele.
7 Espero que no _______________ a la calle, con el resfriado que tienes.
8 Carlos espera _______________ el carné de conducir antes de Navidad.
9 Nosotros queremos que mi padre _______________ pronto porque está muy cansado.
10 Cuando termine los estudios espero _______________ trabajo.

17 El periódico

A Buscando trabajo

1 Escribe los nombres de las profesiones.

1 Arregla todo tipo de motores. Le gusta mucho su trabajo, pero se mancha mucho las manos: *mecánico.*
2 Trabaja en un colegio. Enseña Lengua y Literatura: ___________________
3 Su jefe dice que es muy buen vendedor y atiende muy bien a los clientes: ___________________
4 Me encanta comer, pero sobre todo me gusta hacer comidas muy ricas: ___________________
5 Mi trabajo es muy interesante. Estoy siempre viajando y explicando a los turistas las maravillas que visitan: ___________________
6 Cuando trabajo muchas horas me duelen los ojos. Tengo que utilizar un protector de pantalla en el ordenador: ___________________
7 A algunas clientas les gusta el pelo liso, otras lo quieren rizado y otras de punta: ___________________
8 Al escribir una noticia intento ser imparcial, aunque no siempre es fácil: ___________________
9 Me paso todo el día conduciendo por Madrid. Acabo muy estresado: ___________________
10 El turno de noche es el más tranquilo. La mayoría de los enfermos están descansando: ___________________
11 Si conduces muy deprisa, te pone una multa: ___________________

2 Construye preguntas relacionadas con el trabajo.

¿Trabajas...	... en una oficina?
¿Tienes que...	... hablas otros idiomas?
¿Normalmente	... por la noche?
	... conducir?
	... levantarte temprano?
	... hablas por teléfono?

3 Joana tiene una entrevista de trabajo. Relaciona las preguntas con las respuestas.

JOANA: Buenos días, venía por el anuncio del periódico para la plaza de profesora de Educación Infantil.
DIRECTORA: Sí, muy bien. ¿Qué titulación tienes?
JOANA: ___________________
DIRECTORA: ¿Tienes experiencia?
JOANA: ___________________
DIRECTORA: Estupendo, y ahora ¿qué te gustaría saber sobre esta escuela?
JOANA: ¿Qué horario tenéis?
DIRECTORA: ___________________
JOANA: ¿Qué edad tienen los niños con los que voy a trabajar?
DIRECTORA: ___________________
JOANA: Prefiero los pequeños. ¿Y el sueldo?
DIRECTORA: ___________________ ¿De acuerdo? Pues el lunes te esperamos.

a Hay dos turnos: de 8 de la mañana a 3 de la tarde, y de 10 a 5.
b Soy profesora de Educación Infantil.
c Puedes elegir: bebés o niños de uno a dos años.
d Sí, he trabajado un año en una escuela del Ayuntamiento.
e 1000 € al mes durante el primer año.

B Sucesos

1 Observa el programa de actividades que realizó "el Dioni" el día de su famoso atraco. Describe qué estaba haciendo en cada momento.

7:30	se ducha
8:00	desayuna en casa
9:00	se dirige a su trabajo
9:30	conduce su furgón de seguridad
10:00	recoge 180 000 € en un banco
10:45	abandona su furgón en un aparcamiento público.
11:30	vuela con destino a Brasil con su botín.
21:30	se registra en un hotel de 5 estrellas
22:00	cena en el mejor restaurante de Río de Janeiro
24:00	llama por teléfono a su madre para desearle buenas noches

1 A las 7:30 se estaba duchando.
2 A las 8:00 ______
3 ______
4 ______
5 ______
6 ______
7 ______
8 ______
9 ______
10 ______

2 Escribe una frase para cada dibujo utilizando los verbos del recuadro.

jugar sonar pasear llamar llegar cenar hacer la comida morder ver robar empezar a llover hacer una foto

1 (Él) estaba haciendo la comida cuando el cartero llamó a la puerta.
2 ______
3 ______
4 ______
5 ______
6 ______

3 Completa las siguientes frases con los verbos más adecuados.

1 Cuando __________ el despertador, los niños estaban durmiendo.
2 Los ladrones __________ en el banco mientras el guardia __________ por internet con su novia.
3 La película __________ cuando __________ en el cine.
4 Juan __________ en el supermercado y __________ con su mejor amigo.
5 Cuando __________ por teléfono, yo __________ la tele.
6 El lunes __________ a la oficina a las 8 de la mañana y mi jefe ya __________.

estaba hablando	robaron
estaba trabajando	entramos
estaba viendo	se encontró
estaba cenando	sonó
estaban durmiendo	llamaste
estaba comprando	trabajé
	llegué

4 Lee las noticias del periódico y contesta a las preguntas.

Noticias

LLEGAN A ESPAÑA LOS PESCADORES DEL BARCO GALLEGO

Han llegado a España los pescadores del barco gallego que naufragó en las costas de Irlanda el pasado día 19 de diciembre. El naufragio sucedió en medio de una fuerte tormenta cuando el barco chocó contra unos acantilados y se partió en dos. Decenas de paisanos de distintos puntos de Galicia los han recibido en el aeropuerto de Barajas. Todos han llegado sanos y salvos.•

ATROPELLAN A UN NIÑO A LA SALIDA DEL COLEGIO

La policía todavía no ha encontrado al autor del atropello de un niño, a la salida del colegio, que se produjo ayer en la calle Altamirano de Madrid. Numerosos testigos que presenciaron el accidente han declarado esta mañana en las dependencias policiales.•

LA PERLA DE MANILA

La policía ha detenido a los autores del robo de la joyería, La Perla de Manila. El atraco tuvo lugar el sábado, 16 de enero. La policía ha detenido a tres jóvenes que han pasado a disposición judicial.•

MEJORAR LA SEGURIDAD EN LA FÓRMULA UNO

La Federación Internacional del Automóvil (FIA) ha ampliado las medidas de seguridad en los Grandes Premios de Fórmula Uno, debido al accidente que tuvo lugar en el Gran Premio de Alemania, donde un cámara de la BBC fue golpeado en la cabeza por un neumático mientras los mecánicos lo cambiaban. A partir de ahora, solo puede haber trabajadores de los equipos (con casco) en las zonas de abastecimiento mecánico, donde la velocidad de entrada ya no puede ser mayor de 80 km por hora.•

1 ¿Qué delito cometieron los jóvenes a los que detuvo ayer la policía?
____
2 ¿En qué situación se encuentran ahora los detenidos?
____
3 ¿Qué problema tuvieron los marineros que llegaron ayer a Barajas?
____
4 ¿Por qué se produjo el naufragio?
____
5 ¿Quién fue a recibirlos al aeropuerto?
____
6 ¿Quién atropelló ayer a un niño en Madrid?
____
7 ¿Dónde se produjo el accidente?
____
8 ¿Qué han hecho esta mañana los testigos?
____
9 ¿Por qué la FIA ha ampliado las normas de seguridad en los Grandes Premios de Fórmula Uno?
____
10 ¿Qué dos medidas de seguridad ha tomado la FIA?
____

C Excusas

1 Completa la siguiente entrevista a un residente del centro de Madrid.

A (1) *¿Cuántos años tienes?*
B 55.

A (2) ¿_____________________________?
B Sí, estoy casado y tengo dos hijos.

A (3) ¿_____________________________?
B En la calle Goya. Es una casa bastante grande y luminosa.

A (4) ¿_____________________________?
B ¿Lo mejor de vivir en el centro? Puedo ir andando a mi trabajo y hay muchas tiendas cerca de casa.

A (5) ¿_____________________________?
B Lo peor es el aparcamiento. Es horroroso.

A 6) ¿_____________________________?
B No tengo ningún restaurante favorito. Pero cuando salimos en familia, elegimos un restaurante italiano.

A (7) ¿_____________________________?
B La compra la solemos hacer en un supermercado cerca de casa.

A (8) ¿_____________________________?
B En mi tiempo libre, lo que más me gusta es salir de Madrid y andar por el campo.

2 21 Escucha y comprueba.

3 Pasa las preguntas del ejercicio anterior a estilo indirecto.

1 *La entrevistadora le preguntó que cuántos años tenía.*
2 ______________________________
3 ______________________________
4 ______________________________
5 ______________________________
6 ______________________________
7 ______________________________
8 ______________________________

4 Pasa las respuestas del ejercicio anterior a estilo indirecto.

1 *El señor le contestó que tenía 55 años.*
2 ______________________________
3 ______________________________
4 ______________________________
5 ______________________________
6 ______________________________
7 ______________________________
8 ______________________________

5 Pasa los siguientes chistes a estilo indirecto.

El paciente le dijo al médico que __________________
____
____

Y el doctor le respondió que __________________
____
____

____
____
____
____

18 Predicciones

A ¿Cuánto tiempo llevas esperando?

1 Elige la frase de significado similar al original.

1 David lleva viajando por África un mes. ☐
   a El viaje de David acabó hace un mes.
   b David empezó su viaje por África hace un mes y sigue allí.
   c David estuvo en África el mes pasado.

2 Ana y Antonio llevan programando el ordenador toda la mañana. ☐
   a Ellos han empezado a programar el ordenador a primera hora de la mañana.
   b Han acabado de programar el ordenador.
   c Programan el ordenador todas las mañanas.

3 La lavadora lleva funcionando desde las diez. ☐
   a La lavadora acabó de funcionar a las diez.
   b La lavadora ha empezado a funcionar a las diez y aún no ha terminado.
   c La lavadora funciona siempre a las diez.

4 Ángela lleva tocando el violín desde que tenía diez años. ☐
   a Ángela empezó a tocar el violín a los diez años y lo dejó.
   b Ángela tocó el violín durante diez años.
   c Ángela toca el violín desde que tenía diez años.

5 Charo y Carlos llevan viviendo juntos desde la universidad. ☐
   a Viven juntos desde que terminaron la carrera.
   b Viven juntos desde que eran estudiantes universitarios.
   c Vivieron juntos cuando estaban estudiando en la universidad.

2 Completa las frases utilizando la forma *llevar* + gerundio.

1 Cristina <u>*lleva viendo*</u> (ver) la televisión dos horas.
2 Juan y Carolina ____________ (trabajar) desde las siete de la mañana.
3 ____________ (nevar) más de dos días.
4 ¿Cuánto tiempo (tú) ____________ (estudiar) español?
5 María ____________ (salir) con Luis dos años.
6 ¿Cuánto tiempo (nosotros) ____________ (ahorrar) para comprarnos el coche?
7 (Yo) ____________ (buscar) las llaves toda la mañana y no las encuentro.
8 ¿Cuánto tiempo (vosotras) ____________ (hablar) por teléfono?
9 (Nosotros) ____________ (esperar) más de dos horas.
10 ¿Cuánto tiempo (vosotros) ____________ (buscar) piso?

3 Sigue el ejemplo.

1 Carlos está durmiendo. Se acostó a las tres y ahora son las seis.
   <u>*Carlos lleva tres horas durmiendo.*</u>
2 Rosa está tocando el piano. Empezó a las cuatro y son las cinco y media.
   ____
3 Emilio trabaja en un taller mecánico. Entró allí en el año 2004.
   ____
4 Julio y yo salimos juntos. Nos conocimos en abril.
   ____
5 Elena juega a baloncesto en el Juventud. Entró hace dos meses.
   ____
6 Ya está funcionando el lavaplatos. Lo he puesto hace un cuarto de hora.
   ____
7 Estamos viendo la película de Pedro. Ha empezado hace un rato.
   ____

B ¿Qué pasará?

1 22 Es Nochevieja y Adrián está decidido a cambiar su vida en Año Nuevo. Escucha y señala V o F.

1 Solo saldrá los fines de semana. [V]
2 No irá a clase todos los días. ☐
3 Los fines de semana no se levantará temprano. ☐
4 No comerá bocadillos ni tonterías. ☐
5 Discutirá más con sus padres. ☐
6 Copiará en los exámenes para aprobar. ☐
7 Ayudará en las tareas de la casa. ☐
8 Verá más la tele. ☐
9 Ya hizo la misma lista el año pasado. ☐

2 Completa las frases con el futuro de los verbos entre paréntesis.

HOTEL
Sol y playa
El más moderno de la costa

- 3 piscinas climatizadas
- campo de golf
- aire acondicionado
- cerca del aeropuerto

INAUGURACIÓN: **Próximo mes de junio**

1 Este hotel (ser) _será_ el más grande de la costa mediterránea.
2 El hotel se (abrir) ______ en el mes de junio.
3 (haber) ______ tres piscinas climatizadas.
4 Los clientes (poder) ______ jugar al golf.
5 Las habitaciones (tener) ______ aire acondicionado.
6 El hotel (estar) ______ cerca del aeropuerto.

3 Completa los siguientes titulares del periódico con los verbos del recuadro en futuro.

repartir pasar viajar llover venir decir votar firmar poder ~~hablar~~

1 El presidente del Gobierno _hablará_ mañana por televisión.

2 Los sindicatos ______ un nuevo acuerdo con las empresas.

3 **La Cruz Roja ______ ayuda entre los heridos.**

4 El año próximo cinco astronautas ______ de nuevo a la Luna.

5 **Los extranjeros sin trabajo no ______ entrar en el país.**

6 **En los próximos días ______ en el norte del país.**

7 El 75% de los europeos ______ en las próximas elecciones.

8 Maradona ______ a la historia del fútbol como el n.º1 de todos los tiempos.

9 El próximo verano ______ más de un millón de turistas a las costas españolas.

10 **El entrenador ______ la alineación para el partido en la rueda de prensa.**

4 Relaciona las acciones (1-6) con sus resultados (a-f). Después haz frases como en el ejemplo.

1 (nosotros) / fumar en el autobús
2 el jefe / subir el sueldo a Alberto
3 el despertador / no sonar
4 mi hija / ir a la universidad
5 hacer buen tiempo
6 (vosotros) / ir a Granada

a (yo) / levantarse tarde
b (vosotros) / ver la Alhambra
c los viajeros / protestar
d (ella) / estudiar Informática
e (él) / comprarse un coche nuevo
f (nosotros) / ir a dar un paseo

1 *Si fumamos en el autobús, los viajeros protestarán.*
2 ______
3 ______
4 ______
5 ______
6 ______

5 Pon el verbo en futuro o en imperativo.

1 Si quieres entrar en el concierto, (no olvidarse) *no te olvides* de la entrada.
2 Si no llego puntual, Joana (enfadarse) ______.
3 Si venís con nosotros, (darse) ______ prisa.
4 Si conduzco por la noche, (cansarse) ______ mucho.
5 Si tienes frío, (cerrar) ______ la ventana.
6 Si vais al teatro, (llamar) ______ a Luis por teléfono.
7 Si me llama por teléfono, (ir) ______ juntos al cine.
8 Si no llevas el paraguas, te (mojar) ______.
9 Si tienes mucha hambre, (comer / tú) ______ ya.
10 Si os sobra una entrada, (llamar / a mí) ______.

6 Lee el texto sobre el horóscopo y contesta a las preguntas.

HORÓSCOPO

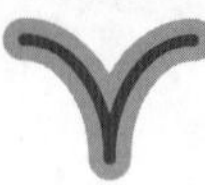

ARIES

Si sus intenciones son buenas, el destino le premiará. Pero si solo busca su propio interés, se le cerrarán todas las puertas.

TAURO

Sus relaciones familiares atraviesan un momento complicado. No tenga miedo al futuro. Se encontrará mejor si practica algún deporte.

GÉMINIS

Esta semana no será buena para los negocios. Si se esfuerza en el trabajo sus jefes le felicitarán.

CÁNCER

Tendrá deseos de adquirir conocimientos. El dinero le traerá problemas.

LEO

Buen momento con su pareja. Si no tiene, la encontrará esta semana.

VIRGO

Usted tendrá muchos problemas próximamente. Si no encuentra solución, pida ayuda.

1 ¿Qué hará Virgo si no encuentra solución a sus problemas?
______
2 ¿Qué les sucederá a los Aries con buenas intenciones?
______
3 ¿Qué deberá hacer Tauro para sentirse mejor?
______
4 ¿Qué tipo de problemas tendrán Géminis y Cáncer?
______
5 ¿Qué encontrarán los Leo solitarios esta semana?
______

C ¿Qué te parece este...?

1 Lee el texto y corrige las siguientes afirmaciones.

Un encuentro extraño

El incidente ocurrió en la sierra de Madrid el 3 de diciembre de 2003. Iba caminando con mi perro y mirando tranquilamente las estrellas cuando, de repente, vi una luz roja. Se movía rápidamente hacia mí y luego descendió lentamente.

Después de un minuto giró hacia el este, increíblemente deprisa. No tengo ni idea de lo que era, pero no parecía de este mundo. Más tarde llamé por teléfono a la policía y les conté la historia. Ellos no me creyeron, pero yo estoy segura de que era un ovni.

1 El encuentro ocurrió en la playa.

____

2 El cielo estaba nublado.

____

3 La protagonista vio un rayo.

____

4 El objeto avanzaba despacio.

____

5 Se lo contó a su familia.

____

6 Ella creyó que era un avión.

____

7 La policía estuvo de acuerdo con ella.

____

2 Relaciona cada adjetivo con su contrario.

1 horrible	**a** aburrido/a
2 divertido/a	**b** alegre
3 bonito/a	**c** precioso/a
4 triste	**d** peor
5 mejor	**e** feo/a
6 lento/a	**f** corto/a
7 largo/a	**g** típico/a
8 original	**h** rápido/a

3 Lee el folleto sobre un concurso literario y luego contesta a las preguntas.

"Artículo sobre un viaje"

CONCURSO

La Asociación Cultural **"Viajar Es Vivir"** de Carabanchel convoca por décimo año un concurso de relatos con el fin de estimular la escritura relacionada con los viajes.

PARTICIPANTES
Podrán presentarse personas de todas las edades residentes en España.

MODALIDAD Y TEMA
El texto será un relato de un viaje, y el tema, un viaje realizado por el autor.

CONDICIONES
La obra debe estar escrita en castellano.
Cada participante solo podrá presentar una obra.
La extensión máxima será de 6000 palabras.

PREMIOS
Categoría juvenil, para participantes de 14 a 25 años:
Primer premio: 400 euros.
Segundo premio: 200 euros.
Categoría general, para el resto de las edades:
Primer premio: 500 euros.
Segundo premio: 250 euros.

PRESENTACIÓN DE OBRAS Y DOCUMENTACIÓN
Los relatos se presentarán en un sobre cerrado en el local de la asociación (c/ La Oca, 18, 28019 Madrid) o se enviarán por correo electrónico a viajaresvivir@asociación.es. Deberá adjuntarse una fotocopia del DNI o pasaporte.
No se aceptarán trabajos presentados después del 30 de septiembre a las 24 h.

1 ¿Cuántos años lleva la asociación convocando este concurso?

____

2 Si eres español y vives en Lisboa, ¿puedes presentarte al concurso?

____

3 ¿Podrás presentar un trabajo de 5500 palabras?

____

4 Si tienes 32 años y te toca el segundo premio, ¿cuánto dinero te corresponderá?

____

5 ¿Qué documentos debes presentar, además del trabajo literario?

____

6 ¿Dónde está el centro de la "Asociación Viajar Es Vivir"?

____

Practica más 9

Unidades 17 y 18

1 Lee los anuncios y completa el hueco con la profesión correspondiente.

conductor • cocinero/a • profesor/a
agente de turismo • vendedor

A
Se necesitan ______________ de automóviles para exposición. Con mucha experiencia. Edad entre 25 y 35 años. Llamar al tel.: 91-435 82 65

B
______________ para restaurante vegetariano, zona Centro. Titulación y experiencia. Enviar CV con foto a Restaurante Europa, C/ Alicante, 15, 3.º D, Madrid 29001.

C
AGENCIA DE VIAJES necesita ______________. Titulado, con amplio dominio de inglés y alemán. Enviar curriculum vitae a tours@hotmail.com

D
__________ con experiencia y conocimientos de mecánica. Enviar currículo a mercauto@yahoo.com

E
___________ de piano y solfeo con titulación precisa escuela de música. Con experiencia. Llamar urgentemente de 11.30 a 13.30. Tel.: 683 24 56 06.

2 En qué anuncios piden:

1 Titulación ☐ ☐ ☐
2 Enviar *curriculum vitae* ☐ ☐ ☐
3 Experiencia ☐ ☐ ☐ ☐
4 Idiomas ☐
5 Conocimientos de mecánica ☐

3 Completa la tabla.

1 *el periodista*	*la periodista*
2 el	la peluquera
3 el dependiente	
4 el	la guía
5 el conductor	
6 el	la programadora
7 el	la taxista
8 el	la jueza

4 ¿Dónde trabaja cada uno de los anteriores profesionales?

1 *En un periódico.*
2 ______________
3 ______________
4 ______________
5 ______________
6 ______________
7 ______________
8 ______________

5 Reescribe los diálogos en estilo indirecto como en el ejemplo.

Belén: No encuentro mi bolígrafo.
Julio: Lo tengo yo.
Belén dijo que no encontraba su bolígrafo. Julio le dijo que lo tenía él.

1
Isabel: ¿Tienes hambre?
Andrés: Sí, tengo mucha hambre. ¿Preparamos la cena?
____
____

2
Luisa: ¿Dónde te alojas cuando vas a Barcelona?
Tomás: Siempre voy a casa de mi hermano.
____
____

3
Ana: ¿Qué quieres comer?
Juan: Me da igual. Me gusta todo.
____
____

6 ¿Cuánto tiempo lleva sucediendo esto?

1 Ahora está lloviendo. Empezó hace dos horas.
Lleva lloviendo dos horas.
2 Alberto está estudiando inglés. Empezó hace dos años.
____
3 Estoy aprendiendo a conducir. Empecé en diciembre.
____
4 Irene y Julián están buscando trabajo. Empezaron en verano.
____
5 María está trabajando en Sevilla. Empezó el 20 de febrero.
____
6 Mi hermano y yo vivimos en Salamanca. Nos fuimos el curso pasado.
____
7 Estoy escribiendo una novela. Empecé hace seis meses.
____

7 **Pregunta cuánto tiempo llevan sucediendo estas cosas.**

1 Está lloviendo.
¿Cuánto tiempo lleva lloviendo?
2 Julia toca la flauta.
____
3 Me duele la espalda.
____
4 Juan vive en el campo.
____
5 Mis amigos cantan en un coro.
____
6 Antonio y yo jugamos en el mismo equipo.
____
7 Estoy trabajando en Málaga.
____
8 Mis padres y yo estamos esperando a mi hermano.
____
9 Mi marido practica natación.
____
10 Pablo y yo patinamos en el Retiro.
____
11 La biblioteca prohíbe el uso de móviles.
____

8 Relaciona.

1 Yo creo que ☐
2 Yo pienso ☐
3 A mí me molesta ☐
4 A mí me molestan ☐
5 A ellos no les importan ☐
6 *A mí no me importa* *D*
7 A mí me gusta ☐
8 A nosotros nos gustan ☐

a la gente que habla muy alto en los bares y en la calle.
b los problemas de otros países.
c la comida española es muy rica y variada.
d madrugar.
e que mucha gente no tiene conciencia ecologista.
f mucho los ruidos de la calle.
g los jóvenes que son rebeldes e inconformistas.
h ir al campo los fines de semana.

9 **Completa las frases con la forma correcta del verbo.**

1 Si ________ (tener/tú) frío, ________ (cerrar/tú) la ventana.
2 ________ (ir/yo) a la fiesta si me ________ (invitar/ ellos).
3 Si ________ (conducir/tú) tan rápido, te ________ (parar) la policía.
4 Si ________ (beber/tú) no ________ (conducir/tú).
5 Si no ________ (haber) ningún problema, te ________ (enviar/yo) el paquete por correo.
6 ¿________ (venir/tú) con nosotros si ________ (ir/ nosotros) al teatro?
7 Si no ________ (pagar/tú) el recibo te ________ (cortar/ellos) la luz.
8 ________ (llamar/tú) si ________ (tener/tú) tiempo.

10 **Escribe frases condicionales como en el ejemplo.**

1 Alicia / comprar / coche nuevo / tocar / la lotería.
Alicia se comprará un coche nuevo si le toca la lotería.
2 Mis amigos / ir / Barcelona / tener / dinero.
____
3 (Tú) / sacar / buenas notas / estudiar / mucho.
____
4 (Nosotros) salir / de paseo / Juan / llegar / pronto.
____

T Transcripciones

UNIDAD 1

C ¿Cuál es tu número de móvil?

4 Pista 1

1 **A** ¿Su nombre, por favor?
B Manuel González Romero.
A Muy bien. ¿De dónde es usted, señor González?
B Soy español, de Valencia.
A ¿Vive en Valencia?
B No, ahora vivo y trabajo en Madrid.
A ¿A qué se dedica usted?
B Soy economista.
A Muy bien. ¿Y cuál es su número de teléfono?
B Es el 9 1 6 5 4 3 2 0 1.
A Muchas gracias.

2 **A** Isabel, ¿cómo te llamas de apellido?
B Jiménez Díaz
A ¿Jiménez con *g* o con *j*?
B Con jota.
A ¿Y en qué trabajas?
B Soy profesora de alemán.
A ¿Eres española?
B No, soy argentina, pero ahora vivo acá en Madrid.
A Muy bien, ¿me dices tu número de teléfono?
B Sí, es el 6 5 6 7 8 9 8 2 3.
A ¿Y tu correo electrónico?
B Isabel.j@yahoo.com
A Gracias.

UNIDAD 2

C ¿Qué hora es?

3 Pista 2

En mi país la gente desayuna a las siete o siete y media, muy temprano. Luego, en el trabajo o en la escuela almuerzan una torta y comen en casa a las dos y media o las tres. La cena normalmente es a las 9 de la noche.
Los niños empiezan las clases a las ocho de la mañana y terminan a las doce y media. Luego, por la tarde, hay otros turnos desde las doce y media hasta las cinco.
En cuanto a los bancos, normalmente abren desde las ocho hasta las dos. Algunos bancos abren también los jueves por la tarde.
Las tiendas de comida están abiertas desde las siete y media de la mañana hasta las diez de la noche.

7 Pista 3

Salidas:

- El vuelo de Aeroperú número 23848 (dos, tres, ocho, cuatro, ocho) tiene la salida prevista a las siete cincuenta y cinco.
- Los pasajeros del vuelo de Lanchile número cero sesenta y cuatro con salida a las doce cero cinco deben dirigirse a la puerta de embarque 9 D.
- Los pasajeros del vuelo de Aerolíneas Argentinas 1289 (uno, dos, ocho, nueve) con destino a Buenos Aires y salida a las quince veinte salen de la puerta de embarque 5B.
- El vuelo de Iberia 576 (cinco, siete, seis) con destino a México sale con una demora de quince minutos y, por tanto, la salida es a las dieciocho treinta y cinco. Pasajeros, diríjanse a la puerta de embarque 7F.
- El vuelo de Alitalia 027 (cero, dos, siete) con destino a Roma tiene su salida a las veintitrés diez.

UNIDAD 3

C ¿Qué desayunas?

1 Pista 4

A CAMARERO: Buenos días, ¿qué toman?
SEÑOR: Yo quiero un café con leche y una tostada.
SEÑORA: ¿Tiene zumo de naranja natural?
CAMARERO: Sí, claro.
SEÑORA: Yo un zumo de naranja y una tostada con mantequilla y mermelada.

B CAMARERO: Buenos días, ¿qué desea?
SEÑOR: Quiero dos huevos fritos con beicon.
CAMARERO: Lo siento, no tenemos. ¿Quiere un bocadillo?
SEÑOR: Sí, por favor, un bocadillo de queso y un café con leche.

C CAMARERO: Buenos días, ¿qué desea?
SEÑORA: Buenos días, quiero un té con leche, una magdalena y un zumo de naranja.
CAMARERO: Muy bien, ahora mismo.

UNIDAD 4

B Interiores

7 Pista 5

Mi casa de campo es muy bonita. Tiene tres dormitorios con vistas al jardín. El más grande tiene un pequeño cuarto de baño. Tiene otro cuarto de baño grande al final del pasillo. El salón es muy amplio, con dos grandes ventanas y una chimenea para hacer fuego en invierno. Junto al salón está el comedor y una cocina pequeña donde cocinamos mi marido y yo. Hay un garaje a la entrada. La casa tiene un jardín muy grande, con muchos árboles y flores. Tenemos una piscina para bañarnos en verano. Nos gusta mucho ir a nuestra casa en vacaciones.

UNIDAD 5

C Receta del Caribe

5 Pista 6

La dieta mediterránea

¿En qué se basa esta cultura gastronómica?
Se basa, principalmente, en el aceite de oliva, el pan y el vino. Con estos productos básicos se alimentan los pueblos mediterráneos desde hace más de cinco mil años.
Los países mediterráneos consumen como grasa principal el aceite de oliva, que favorece la disminución del colesterol. También consumen gran cantidad de pescados azules, legumbres y frutas, y menos carne.

Las primeras investigaciones sobre esta dieta se centran en

Grecia y en España, donde se estudian las características de su cocina, sus ingredientes, técnicas de cocción, etc., y se llega a la conclusión de que la dieta de estos países es la ideal para mantener una buena salud.

UNIDAD 6

A ¿Cómo se va a Goya?

3 Pista 7

■ Dígame.
• ¿Marta? Soy Beatriz.
■ ¡Hola! ¿Ya estáis en Madrid?
• Sí, estamos en el hotel de la plaza de España.
■ Estupendo, ¿comemos juntas? Mi trabajo está cerca del hotel, si quieres puedes venir andando, tardas unos veinte minutos.
• No, no, dime mejor cómo voy en metro, tengo un plano en la mano.
■ Mira, estoy en Gran Vía, en la línea 5, solo hay dos estaciones desde Plaza de España, ¿lo ves?
• Pues no.
■ Coge la línea tres, y en la primera estación cambia a la línea 5.
• ¿En Ventura Rodríguez?
■ No, en la otra dirección, en Callao, ¿lo ves?
• Sí, sí.

C Mi barrio es tranquilo

7 Pista 8

Música de salsa, flamenco, tango y ranchera.

UNIDAD 7

A ¿Dónde quedamos?

1 Pista 9

1 MARÍA: ¿Por qué no vamos a tomar algo después de trabajar?
RICARDO: Lo siento, hoy no puedo, tengo que ir de compras con mi hermano. ¿Te parece bien mañana?
MARÍA: ¿A qué hora te viene bien?
RICARDO: ¿A las seis?
MARÍA: No, mejor a las seis y media.
RICARDO: De acuerdo. ¡Hasta mañana!

2 DANIEL: ¿Vamos al cine esta noche?
CARMEN: No puedo, lo siento. Voy a cenar con unos amigos.
DANIEL: ¿Y si nos tomamos un café antes?
CARMEN: Bueno, de acuerdo. ¿Vamos al Café Central?
DANIEL: Estupendo. Nos vemos allí a las cinco.

3 Pista 10

ENTREV: Radio Centro FM. Esta noche en nuestra sección de "Espectáculos" vamos a hablar con Carolina y Pedro, una joven pareja de madrileños que nos van a comentar sus preferencias cuando salen de noche los fines de semana.
ENTREV: ¿Adónde vais normalmente?
PEDRO: Yo prefiero ir a un concierto. Me gusta mucho ir a conciertos de rock, pero Carolina ya está un poco harta. A ella le gusta más ir al teatro. Después, nos gusta mucho ir a tomar unas tapas y volver a casa dando un paseo.
ENTREV: ¿Y tú, Carolina, qué dices?
CAROL: Me gusta mucho ir al teatro. También me gustan los conciertos de música clásica, excepto la ópera; es demasiado larga. A Pedro le gusta ir a todo tipo de espectáculos musicales, aunque son muy caros. Pero lo que más nos gusta hacer a los dos juntos es ir al cine.

UNIDAD 8

C ¿Qué tiempo hace hoy?

1 Pista 11

Desde niña, siempre deseé conocer la selva. Este verano estuve en Perú, un país maravilloso.

Al día siguiente de mi llegada a Lima, cogí un avión a Iquitos, preciosa ciudad tropical, como sacada de una película: los mototaxis, los mercados de fruta, las casas... y el río Amazonas.
Después entramos en la selva, dispuestos a pescar pirañas, bañarme en el Amazonas, comer plátano frito...
Más tarde, paramos en un pueblo en medio de la selva. En unos segundos un montón de niños salieron de sus casas y me rodearon con sus rostros sonrientes.
Finalmente, me hice unas fotos con ellos y me despedí muy contenta de llevarme un recuerdo auténtico del Amazonas.

UNIDAD 9

A ¿Cuánto cuestan estos zapatos?

2 Pista 12

1 DEPEND: ¿Puedo ayudarla?
SEÑORA: Sí, ¿cuánto cuestan estos pendientes?
DEPEND: 20 euros.
SEÑORA: ¿Y esos de ahí, los azules?
DEPEND: Esos están rebajados, cuestan 15 euros.
SEÑORA: Me los llevo.
DEPEND: ¿Va a pagar en efectivo o con tarjeta?

2 SEÑORA: Buenos días. ¿Cuánto cuesta la falda roja del escaparate?
DEPEND: Son 40 euros.
SEÑORA: ¿Puedo probármela?
DEPEND: Sí, claro, los probadores están al final del pasillo.
DEPEND: ¿Qué tal le queda?
SEÑORA: Pues no me gusta mucho, lo siento, no me la llevo.

3 SEÑORA: Mira esa camiseta verde, solo cuesta 10 euros.
CHICA: Me gusta más esta, ¿por qué no te la pruebas?
SEÑORA: Vale... a ver... ¿Cómo me queda?
CHICA: Fenomenal.
SEÑORA: ¿Cuánto cuesta?
CHICA: Da igual, yo te la regalo.

UNIDAD 10

A La salud

5 Pista 13

SONIA: ¿Qué te pasa Alfonso? ¿Te encuentras bien?
ALFONSO: No, no muy bien. Tengo fiebre.
SONIA: ¿Estás tomando algo?
ALFONSO: No, de momento no.
SONIA: ¿Por qué no te tomas una aspirina y descansas?
ALFONSO: Sí, es lo mejor porque mañana tengo mucho trabajo.
SONIA: Seguro que mañana estás mejor.

UNIDAD 11

C Ganadores

1 Pista 14

GABRIELA MISTRAL, ganadora del Premio Nobel de Literatura. Nació en Chile en 1889. Dedicó más de 16 años de su vida a la enseñanza. Desde 1933 representó a su país como cónsul en Madrid, Lisboa y Los Ángeles. Su poesía ha sido traducida a muchos idiomas. En 1945 recibió el Premio Nobel de Literatura.

PEDRO ALMODÓVAR, ganador de un Óscar. Desde que Pedro Almodóvar dirigió su primera película en 1980, se convirtió en uno de los directores más importantes del cine español. Dirigió más de 15 películas, hasta que en el año 2000 consiguió el Óscar de Hollywood a la Mejor Película de Habla no Inglesa con *Todo sobre mi madre*. Posteriormente, en el año 2003, ganó el Óscar al Mejor Guion Original con su película *Hable con ella*. En el año 2007 logró un gran éxito internacional con su película *Volver*.

MIGUEL INDURÁIN, ganador del Tour de Francia. Miguel Induráin, el famoso ciclista español, nació en Navarra en 1964. Comenzó su carrera de triunfos con su victoria en la Vuelta a España con solo 21 años. Más tarde consiguió cinco Tours de Francia consecutivos entre 1991 y 1995.

UNIDAD 12

A La boda de Pili

4 Pista 15

SEÑORA: Hola, tú eres la hermana de Carlos, ¿no?
PALOMA: Sí, yo soy Paloma y este es mi otro hermano, Jesús.
SEÑORA: ¿Vosotros también vivís en Madrid?
PALOMA: No, yo vivo en Segovia. Soy guía turística.
JESÚS: Yo estoy trabajando en las Islas Canarias desde hace dos años.
SEÑORA: ¿Ah, sí? ¿Y en qué trabajas?
JESÚS: Soy arquitecto y estamos trabajando en la construcción de una urbanización de chalés y apartamentos.
SEÑORA: ¿Y estáis solteros?
PALOMA: No, ¡qué va! Estoy casada y tengo dos hijos, Matías de siete años y Elena de cinco.
JESÚS: Yo, de momento, estoy soltero, pero voy a casarme el año que viene.
SEÑORA: ¿Y tu novia, está también en la boda?
JESÚS: No. Se ha quedado en casa porque su madre está enferma.
SEÑORA: ¡Vaya! ¡Cuánto lo siento! Ya nos conoceremos en otra ocasión.

UNIDAD 13

A Un lugar para vivir

2 Pista 16

A Buenos días, ¿en qué puedo ayudarte?
B Buenos días, estoy buscando un piso o un apartamento de alquiler para este curso.
A ¿Lo quieres muy céntrico o en un barrio?
B Mejor céntrico, es que me gusta salir por la noche y no me gustan los autobuses.
A Sí..., bueno, aquí tenemos un apartamento de un dormitorio, muy cerca de la plaza Mayor, reformado.
B ¿Cuánto cuesta ese?
A Son 1 200 € al mes.
B ¡Qué barbaridad! ¿No tienen otros más baratos?
A Sí, claro, pero no están en el centro, tienes que coger el autobus o el metro para llegar al centro. Aquí hay uno a 500 € al mes.
B Ese está bien. ¿Dónde está?
A En Getafe, a 16 km de Madrid, pero está muy bien comunicado.
B ¿En Getafe? Bueno, creo que lo pensaré y volveré a preguntar.

B ¿Qué has hecho el fin de semana?

3 Pista 17

ENTREVISTADOR: Estamos haciendo una encuesta sobre los gustos cinematográficos de los jóvenes españoles. Perdona, ¿nos podrías contestar a unas preguntas?
PEDRO: Sí, si no tardas mucho.
ENTREVISTADOR: Es muy breve, enseguida terminamos. ¿Vas mucho al cine?
PEDRO: Normalmente, una o dos veces por semana. En verano suelo ir una vez al mes.
ENTREVISTADOR: ¿Y qué tipo de películas te gustan?
PEDRO: Lo importante es que sean buenas, pero las de ciencia ficción me encantan.
ENTREVISTADOR: ¿Y qué actor te gusta más?
PEDRO: Uf, es difícil elegir uno. Javier Bardem en sus últimas películas está fantástico.
ENTREVISTADOR: ¿Y tu actriz favorita?
PEDRO: Entre las españolas, la que más me gusta es Penélope Cruz, y del cine internacional, pues... no sé, Julia Roberts, por ejemplo.
ENTREVISTADOR: Elige una entre tus películas favoritas.
PEDRO: Espera un momento que piense. Ah, bueno... *La guerra de las galaxias*. Bueno, también me gustó mucho *El señor de los anillos*.
ENTREVISTADOR: ¿Qué película española has visto que te haya gustado?
PEDRO: *Lo imposible*. La verdad es que me pareció buenísima.
ENTREVISTADOR: Además de ir al cine ¿qué te gusta hacer en tu tiempo libre?
PEDRO: Me gusta leer, oír música, hacer deporte... y cuando salgo con mis amigos nos gusta sentarnos en una terraza a tomar algo y a charlar.
ENTREVISTADOR: Bueno, pues esto es todo. Muchas gracias.

UNIDAD 14

A No había tantos coches

6 Pista18

JAIME: El curso pasado decidí irme a Inglaterra para perfeccionar mi inglés. Todo fue distinto de lo que yo imaginaba. Enseguida comprendí que vivir fuera de casa no iba a ser fácil. Mi primera sorpresa fueron los horarios. Las tiendas, los bancos, los museos... cerraban muy pronto: a las seis de la tarde no había nada abierto.Yo estaba acostumbrado a dar un paseo a las seis o las siete de la tarde; a esa hora no había nadie. Yo estaba solo por la calle. En invierno se hacía de noche a las cinco. Pasaban días y días sin aparecer el sol, así que siempre tenía que llevar el paraguas por si acaso.

Tardé varios meses en acostumbrarme.Yo soy de Córdoba y echaba de menos el sol y las calles llenas de gente. Después de un tiempo conocí a un grupo de amigos y empezamos a salir juntos. Por las tardes, después de cenar, íbamos a los pubs. Los fines de semana hacíamos alguna excursión.Y cuando hacía sol nos sentábamos a charlar en la hierba de los parques. Ahora que he vuelto a Córdoba recuerdo esos meses con mucho cariño y nostalgia.

UNIDAD 15

C Cocina fácil

3 Pista 19

CAMARERO: ¿Qué van a tomar?
ELLA: Yo de primero quiero sopa castellana.
ÉL: Y yo una menestra de verdura.
CAMARERO: Muy bien, ¿y de segundo?
ELLA: ¿Qué tal está el cordero?
CAMARERO: Riquísimo, es de Segovia.
ELLA: Pues yo tomaré cordero.
ÉL: Yo prefiero pescado, tomaré merluza.
CAMARERO: Muy bien, ¿y de beber?
ÉL: Para beber pónganos una botella de vino de la casa y una botella de agua mineral, por favor.
CAMARERO: ¿Vino blanco o tinto?
ÉL: Carmen, ¿tú, cuál prefieres?
ELLA: Tinto, mejor ¿no?
ÉL: Sí, una botella de vino tinto.
CAMARERO: Muy bien, ahora mismo.

UNIDAD 16

A Este verano, salud

7 Pista 20

Su carrera empezó en 1997. Desde entonces, Maribel Rojo ha sido portada de revista en varias ocasiones. Ahora disfruta de la fama junto a su marido y su hijo.

ENTREVISTADOR: Maribel, ¿qué haces a diario para cuidarte?
MARIBEL: La verdad es que soy muy disciplinada. Todos los días bebo dos litros de agua, hago ejercicio regularmente, duermo ocho horas diarias.
ENTREVISTADOR: ¿Y sigues alguna dieta especial?
MARIBEL: Bueno, soy vegetariana, pero no estricta. Me gustan mucho las ensaladas, las verduras y la fruta.Y de vez en cuando como algo dulce, soy golosa.
ENTREVISTADOR: Y cuando dices ejercicio, ¿qué ejercicio haces?
MARIBEL: Me gusta jugar al tenis. También doy largos paseos, me gusta mucho andar y me ayuda a dormir mejor.
ENTREVISTADOR: Y esa piel tan estupenda que tienes, ¿la cuidas mucho?
MARIBEL: No creas, no mucho. Todos los días por la mañana me lavo la cara solo con agua y me pongo crema hidratante y por la noche me limpio bien el cutis antes de acostarme.

UNIDAD 17

C Excusas

2 Pista 21

A ¿Cuántos años tienes?
B 55.
A ¿Estás casado?
B Sí, estoy casado y tengo dos hijos.
A ¿Dónde vives?
B En la calle Goya. Es una casa bastante grande y luminosa.
A ¿Qué es lo mejor de vivir en el centro?
B ¿Lo mejor de vivir en el centro? Puedo ir andando a mi trabajo y hay muchas tiendas cerca de casa.
A ¿Qué es lo peor?
B Lo peor es el aparcamiento. Es horroroso.
A ¿Cuál es tu restaurante favorito?
B No tengo ningún restaurante favorito. Pero cuando salimos en familia, elegimos un restaurante italiano.
A ¿Dónde haces la compra?
B La compra la solemos hacer en un supermercado cerca de casa.
A ¿Qué haces en tu tiempo libre?
B En mi tiempo libre, lo que más me gusta es salir de Madrid y andar por el campo.

UNIDAD 18

B ¿Qué pasará?

1 Pista 22

Ya estoy cansado de esta vida tan desordenada. Para el Año Nuevo voy a hacer una lista de buenos propósitos. Para empezar, saldré solo los fines de semana, iré a clase todos los días, me levantaré temprano los fines de semana para hacer deporte. Además, no comeré tantas hamburguesas ni tonterías. Tampoco discutiré con mis padres ni mi novia... No copiaré en los exámenes, ayudaré en las tareas de la casa, veré menos la tele... Bueno, creo que está todo. ¡Anda!, ¡si esta lista es exactamente igual que la que hice el año pasado!

S Soluciones

UNIDAD 1

A ¡Encantado!

1 1 d.; **2** b.; **3** c.; **4** e.; **5** a.; **6** f.

2 1 A ¿De dónde eres? **2** A ¡Hola!, ¿qué tal? **3** A ¿Eres española? **4** A ¿De dónde eres? **5** A ¿Cómo te llamas?

3 ¿De dónde eres? / ¿Cómo está usted?

4 1 A Hola, ¿cómo te llamas? / B ¿Eres francesa? / A No, soy nigeriana. ¿Y tú? **2** PABLO: María, mira, esta es Susanne. / Susanne: Bien, gracias. / MARÍA: ¿De dónde eres? / SUSANNE: Soy francesa, pero ahora vivo en Madrid. **3** SUSANA: Buenos días, Sr. López. / SR. LÓPEZ: Buenos días, Susana. / SUSANA: Mire, le presento a la nueva directora, Julia Linares. / SR. LÓPEZ: Encantado de conocerla. / JULIA: Gracias, igualmente.

5 **País:** Perú; Alemania; Irlanda. / **Nacionalidad masculino:** portugués; marroquí; peruano; bielorruso; mexicano. / **Nacionalidad femenino:** brasileña; canadiense; alemana; polaca; irlandesa; mexicana.

6 1 Sánchez; **2** Rodríguez; **3** Zorrilla; **4** Martínez; **5** Huerta; **6** Bogotá; **7** Valencia; **8** Varsovia; **9** Túnez; **10** Ancara.

B ¿A qué te dedicas?

1 Profesor/a, médica, cartero, taxista, actriz, camarero, abogada, peluquera.

2 1 Él llama por teléfono todos los días. **2** Rosa tiene tres hijos. **3** Ignacio habla inglés y francés. **4** Nosotros comemos en casa los domingos. **5** ¿Usted habla ruso? **6** ¿Vosotros vivís en España? **7** Ellos viven en París. **8** Layla estudia en la universidad. **9** Yo no trabajo ni estudio. **10** ¿Usted trabaja aquí?

3 **Ser:** soy, eres, es, somos, sois, son. **Tener:** tengo, tienes, tiene, tenemos, tenéis, tienen.

4 1 Elena tiene dos hijos. **2** Roberto es de Buenos Aires. **3** ¿De dónde son Jorge y Claudia? **4** A ¿Son ustedes americanos? B No, somos ingleses. **5** Yo tengo un novio español. **6** Mi amiga Gisela es brasileña. **7** A ¿Tenéis novio? B Ella sí, pero yo no tengo. **8** A ¿Tú eres peruana? B No, soy boliviana. **9** A Julia es mi hermana, es profesora. B Yo también soy profesora. **10** Mi hija tiene una casa en Mallorca. **11** A Somos argentinos, y vosotros, ¿de dónde sois? B Somos chilenos. **12** A ¿Tienes hijos? B No, no tengo hijos.

5 **Posibles respuestas: 1** Luis y yo estudiamos Derecho. **2** Renate es traductora. **3** Yo trabajo en un restaurante. **4** Ángel y Rosa tienen dos hijos.

C ¿Cuál es tu número de móvil?

1 a 4. **b** 6. **c** 1. **d** 2. **e** 5. **f** 3.

2 **a:** nueve, uno, tres; cinco, seis, siete; ocho, dos, seis. **b**: nueve, dos, cinco; cero, siete, tres; nueve, cuatro, uno. **c:** seis, dos, seis, dos, cinco, cuatro; seis, ocho, cinco. **d:** seis, dos, cero; seis, cinco, cuatro; tres, nueve, dos. **e:** nueve, cinco, tres; nueve, ocho, uno; ocho, cinco, seis.

3 once, doce, trece, catorce, quince, dieciséis, diecisiete, dieciocho, diecinueve, veinte.

4 1 Manuel. González Romero. Español. Economista. Madrid. 916543201. **2** Isabel. Jiménez Díaz. Argentina. Profesora. Madrid. 656789823. isabel.j@yahoo.com.

5 **Actividad libre.**

6 1 José Martínez López. Es secretario. Vive en Sevilla y es español. **2** Se llama Noelia Montoro Ruiz. Es pianista. Vive en Cáceres y es cubana.

7 A (1) me llamo; (2) soy; (3) Vivo; (4) tengo; (5) se llama; (6) es; (7) trabaja; (8) estudia; (9) es; (10) vive; (11) es.

B (12) me llamo; (13) soy; (14) soy; (15) vivo; (16) Trabajo; (17) Estoy; (18) viven.

C (19) es; (20) Tiene; (21) es; (22) trabaja; (23) Habla; (24) es.

UNIDAD 2

A ¿Estás casado?

1 1 f; **2** a; **3** e; **4** b; **5** c; **6** d; **7** h; **8** g; **9** i; **10** j.

2 **Laura:** (1) se llama; (2) es; (3) tiene; (4) es; (5) es; (6) es; (7) tiene; (8) tengo; (9) Se llaman; (10) Son. **Pablo:** (1) Tengo; (2) es; (3) tiene; (4) es; (5) tiene; (6) tienen; (7) se llama; (8) es; (9) se llama; (10) es.

3 **Mercedes:** abuela; **Miguel:** marido; **Jorge:** yerno; **Jorge:** tío; **Marisa:** madre; **Marisa:** mujer; **José Luis:** abuelo; **Miguel y Marisa:** padres; **José Luis y Mercedes:** abuelos; **Celia:** sobrina.

4 1 Rosa y María son colombianas. **2** Mis padres son profesores. **3** Nosotros tenemos gatos. **4** Ellos están casados. **5** Estos hoteles son caros. **6** ¿Tus compañeros son españoles? **7** Estos chicos son estudiantes. **8** ¿Tus bolígrafos son nuevos? **9** Las ventanas están abiertas. **10** Estas son las amigas de mis hermanas.

B ¿Dónde están mis gafas?

1 mapa, libro, coche, móvil, reloj, sofá, gafas, silla, diccionario, paraguas, ordenador.

2 1 al lado de; **2** encima de; **3** entre; **4** debajo de; **5** encima de; **6** al lado; **7** detrás; **8** en; **9** encima de; **10** delante.

3 1 Este es mi hermano. **2** Estos son mis padres. **3** ¿Esta es tu madre? **4** Estos son sus tíos. **5** Estos son tus libros. **6** Estas son mis hermanas. **7** Estos son sus abuelos. **8** ¿Este es su teléfono? **9** Este es mi móvil. **10** ¿Este es su coche?

C ¿Qué hora es?

1 1 la una y media; **2** las nueve menos veinte; **3** las nueve y diez; **4** las doce en punto; **5** las diez y cuarto; **6** las tres y veinticinco; **7** las seis menos diez; **8** las once menos cuarto.

2 **a** veinticinco; **b** ochenta y siete; **c** noventa y cuatro; **d** ciento tres; **e** ciento quince. **f** doscientos treinta; **g** trescientos veintiuno; **h** cuatrocientos cuarenta y seis; **i** quinientos treinta y cinco; **j** mil doscientos doce; **k** mil novecientos treinta y seis; **l** mil novecientos noventa y ocho; **ll** dos mil quinientos cincuenta.

3 **Desayuno:** siete o siete y media. **Comida:** dos y media o tres. **Cena:** nueve de la noche. **Clases:** empiezan a las ocho. **Bancos:** abren a las ocho y cierran a las dos. **Tiendas:** abren a las siete y media y cierran a las diez de la noche.

4 **Actividad libre.**

5 1 F; **2** V; **3** V; **4** F; **5** V.

6 **1** Mi hermana es muy simpática. **2** ¿Tú vives con tus padres? **3** ¿Dónde viven tus padres? **4** Mi hermano mayor es médico. **5** Mi marido trabaja en una empresa alemana. **6** Mi abuelo vive con mis padres. **7**. ¿Tus hijos estudian en la universidad?

7 **Lima:** 23848. **Santiago:** 9D. **Buenos Aires:** 15.20. **México:** 7F. **Roma:** 027.

8 **1** Mis padres son italianos. **2** ¿Dónde están mis lápices? **3** Enrique tiene dos relojes. **4** El diccionario está encima de la mesa. **5** Mi hermano estudia Medicina. **6** Es la una y cuarto. **7** Este sofá es muy cómodo. **8** En mi país la gente cena a las diez.

9 **1** Esta; **2** Mi; **3** tu; **4** estos, tus; **5** sus; **6** Estas; **7** vuestro; **8** Este; **9** esta, mis.

PRACTICA MÁS 1

1 **A** yo, trabajo, como, vivo; tú trabajas, comes, vives; él trabaja, come, vive; nosotros trabajamos, comemos, vivimos; vosotros trabajáis, coméis, vivís; ellos trabajan, comen, viven. **B** tengo, tienes, tiene, tenemos, tenéis, tienen; soy, eres, es, somos, sois, son.

2 **1** tienen; **2** es, es, trabaja; **3** comemos; **4** vive; **5** Tiene. **6** son, trabajan; **7** es, vive; **8** trabajan; **9** tenemos; **10** son, viven.

3 **Masculino:** ordenador, mapa, sofá, diccionario, libro, móvil, cuaderno, hotel, chico. **Femenino:** silla, gafas, televisión, mesa, ventana.

4 **1** ¿De dónde eres? **2** ¿Eres español? **3** ¿Dónde vivís? **4** ¿A qué te dedicas? **5** ¿Dónde trabajas? **6** ¿Cómo te llamas? **7** ¿Sois madrileñas? **8** ¿Estás casada? **9** ¿Tienes hijos?

5 **1** las mesas, **2** los relojes, **3** los hombres, **4** las mujeres, **5** los paraguas, **6** los estudiantes, **7** las abuelas, **8** las madres, **9** los autobuses, **10** los móviles, **11** las hijas.

6 **1** tu, **2** mis, **3** tu, **4** tus, **5** sus, **6** su, **7** su, **8** mi.

7 **1** diez, once, doce, trece, catorce, quince, dieciséis, diecisiete, dieciocho, diecinueve.
2 veinte, treinta, cuarenta, cincuenta, sesenta, setenta, ochenta, noventa.
3 cien, doscientos, trescientos, cuatrocientos, quinientos, seiscientos, setecientos, ochocientos, novecientos, mil.

8 **1** buenos, **2** inglesa, **3** viven, **4** trabajo, **5** peluquera, **6** son, **7** tienen, **8** es, **9** italianas, **10** come, **11** El, **12** Este.

UNIDAD 3

A Rosa se levanta a las siete

1 **1** María se baña por la mañana. **2** Jorge se levanta muy tarde. **3** ¿Tú te acuestas antes de las 12? **4** Mi novio no se afeita todos los días. **5** Clarita se peina sola. **6** Yo me acuesto antes que mi mujer. **7** Mis padres se levantan temprano. **8** Peter se sienta en la última fila.

2 **1** a. **2** desde, de, hasta, de. **3** de, a. **4** a, en, a. **5** A. **6** de, a. **7** por, al. **8** de. **9** por, por. **10** en, **11** a, desde.

3 **1** c. **2** a. **3** f. **4** b. **5** e. **6** d.

4 Me acuesto, te acuestas, se acuesta, nos acostamos, os acostáis, se acuestan. Vuelvo, vuelves, vuelve, volvemos, volvéis, vuelven. Voy, vas, va, vamos, vais, van.

5 voy, cierra, empezamos, salgo, venís, cierro, vengo, empieza, salen.

6 **1** A. vienes, B. Vengo, voy, cierran. **2** A. Vamos, B. nos acostamos. **3** A. empieza, B. me acuesto. **4** A. volvemos, B. vamos. **5** te levantas.

B ¿Estudias o trabajas?

1 1 LUNES, 2 MARTES, 3 MIÉRCOLES, 4 JUEVES, 5 VIERNES, 6 SÁBADO, 7 DOMINGO.

2 **1** f, **2** a, **3** c, **4** e, **5** g, **6** b, **7** d.

3 **1** c, **2** e, **3** d, **4** f, **5** g, **6** b, **7** a.

4 **1** el aeropuerto. **2** trabaja en un supermercado. **3.** son enfermeras y trabajan en un hospital. **4** es secretaria y trabaja en una oficina. **5** trabajan en un restaurante.

5 **1** se levanta. **2** se ducha a las 7.15. **3** desayuna. **4** Lleva al colegio. **5** Trabaja. **6** Recoge. **7** Va a nadar. **8** Cena. **9** Lee.

6 de, soy. Trabajo. muy, porque, cantantes... semanas, y. fines, salgo. el, cine.

C ¿Qué desayunas?

1 **A**. Café con leche y tostada. **B**. Zumo de naranja y tostada con mantequilla y mermelada. / Bocadillo de queso y un café con leche. / Té con leche, una magdalena y un zumo de naranja.

2 **1** h.; **2** a, f.; **3** c; **4** d; **5** b, g; **6** c, e.

3 **Respuesta libre.**

4 **1** guitarra; **2** paraguayo; **3** regalo; **4** goma; **5** Uruguay; **6** colegio; **7** guerra; **8** domingo; **9** pagar; **10** Noruega.

UNIDAD 4

A ¿Dónde vives?

1 **1** jardín, **2** garaje, **3** salón, **4** cuarto de baño, **5** dormitorio, **6** cocina, **7** comedor.

2 **1** En el primero izquierda. **2** En el cuarto derecha. **3** En el tercero C. **4** En el segundo izquierda. **5** En el décimo derecha. **6** En el primero derecha.

3 **1** baño, cocina. **2** dormitorios. **3** garaje. **4** jardín. **5** salón.

B Interiores

1 **Cocina:** armarios, lavavajillas, mesa, microondas. **Cuarto de baño:** lavabo, espejo, bañera. **Salón**: sillones, equipo de música, mesa, espejo.

2 **1** el. **2** La. **3** Los. **4** el. **5** las. **6** El, la. **7** El. **8** los, el. **9** las, el. **10** La, las, el.

3 **1** una, **2** una, **3** un, **4** unos, **5** un, **6** unos, **7** un, **8** un, **9** un, **10** un, **11** un, **12** un, una, **13** unas, una.

4 **1** El, las; **2** un; **3** La, la; **4** Los; **5** la; **6** las; **7** un; **8** una; **9** el, una.

5 **1** Cerca de mi casa hay dos restaurantes. **2** El Museo Picasso está en Barcelona. **3** Bilbao está cerca de Santander. **4** Hay una estación junto a mi casa. **5** Encima del espejo está el lavabo. **6** El ordenador está en la habitación de mi hermano. **7** ¿Dónde hay un banco cerca de aquí? **8** Andrés está en el cine con los niños.

S

6 1 está. 2 Hay. 3 están. 4 hay. 5 está. 6 Hay. 7 tienen. 8 está. 9 Tiene. 10 está.

7 1 F: La casa de Carmen está en el campo. 2 verdadera. 3 verdadera. 4 F: El salón tiene chimenea. 5 verdadera. 6 F: La casa tiene garaje. 7 F: El jardín es muy grande. 8 verdadera. 9 F: En la casa hay una piscina.

8 (1) grande, (2) Está, (3) en, (4) quinta, (5) hay, (6) dormitorios, (7) cocina, (8) el, (9) porque, (10) televisión, (11) librería.

C Visita a Córdoba

1 1 e; 2 b; 3 d; 4 c; 5 f; 6 a; 7 g.

2 1 ¿Puede decirme si hay habitaciones libres para el próximo fin de semana? 2 ¿Qué precio tiene? 3 ¿El uso de la piscina está incluido en el precio? 4 ¿El IVA está incluido en el precio? 5 ¿Se puede pagar con tarjeta de crédito?

3 1 En Córdoba. 2 Que es estupendo. 3 Restaurante, piscina, pistas de tenis, etcétera. 4 Sevilla.

PRACTICA MÁS 2

1 1 c.; 2 a.; 3 e.; 4 g.; 5 b.; 6 d.; 7 f.

2 1 se acuesta. 2 empiezo. 3 vuelves. 4 me levanto. 5 se sienta. 6 vamos. 7 vengo. 8 salgo. 9 volvemos. 10 va. 11 empiezan. 12 me acuesto. 13 duerme. 14 viene. 15 me siento. 16 se duchan. 17 vuelvo. 18 vivís. 19 es. 20 se despiertan. 21 desayunas. 22 tengo. 23 comemos. 24 practicáis.

3 (1) Viven, (2) es, (3) Se levanta, (4) desayuna, (5) sale, (6) Va, (7) se levanta, (8) empieza, (9) Va, (10) come, (11) va, (12) sale, (13) vuelve, (14) practican, (15) cenan, (16) ven, (17) leen, (18) se acuestan.

4 (1) a, (2) de, (3) de, (4) a, (5) en, (6) de, (7) a, (8) en, (9) a, (10) hasta.

5 **Actividad libre.**

6 1 g.; 2 a.; 3 b.; 4 e.; 5 c.; 6 h.; 7 d.; 8 f.

7 2 el dependiente, 3 el presidente, 4 la recepcionista, 5 la cocinera, 6 el médico, 7 la estudiante, 8 el periodista.

8 ¿Dónde está el cuarto de baño? / ¿Dónde hay un supermercado? / ¿Dónde está la parada del autobús n.° 5? / ¿Dónde hay una silla para sentarme? / ¿Dónde está la casa de Miguel? / ¿Dónde hay una estación de metro? / ¿Dónde están los libros de Julia?

9 habitaciones libres; doble; precio; por noche; habitación; reserva.

UNIDAD 5

A Comer fuera de casa

1 **Amalia:** 1 judías verdes, 2 arroz, 3 huevos, 4 fruta. **Juan:** 1 pescado, 2 carne, 3 pollo asado, 4 queso.

2 1 merluza, 2 flan, 3 judías, 4 espárragos, 5 escalope.

3 1 De postre, fruta del tiempo para los dos. 2 Yo quiero sopa de fideos de primero. 3 De segundo quiero merluza. 4 Y yo ensalada. 5 Pues yo pollo asado. 6 Para beber, agua, por favor.

Jorge: Yo quiero sopa de fideos de primero. **Ana:** Y yo ensalada. **Jorge:** De segundo quiero merluza. **Ana:** Pues yo pollo asado. **Jorge:** Para beber, agua, por favor. **Ana:** De postre fruta del tiempo para los dos.

B ¿Te gusta el cine?

1 1 A Carmen le gusta la música clásica. 2 A Pablo le gusta navegar por internet. 3 A los dos les gustan las plantas. 4 A Carmen le gusta la fotografía. 5 A Pablo le gusta el cine. 6 A Carmen le gusta leer. 7 A Pablo le gusta el rock. 8 A Carmen le gusta esquiar. 9 A Pablo le gusta montar en bicicleta. 10 A Carmen le gustan los animales. 11 A Pablo le gusta ver la televisión.

2 **Actividad libre.**

3 1 ¿A tus amigos les gusta la informática? 2 ¿A ti y a tu compañero os gusta el ciclismo? 3 ¿Te gustan los animales? 4 ¿A tu amigo le gusta ver la televisión? 5 ¿Te gusta el cine de terror? 6 ¿Te gusta la paella?

4 1 Me gusta / no me gusta el zumo de naranja. 2 Me gustan mucho / no me gustan nada los plátanos. 3 Me gustan / no me gustan las verduras. 4 Me gusta / no me gusta la leche. 5 Me gustan / no me gustan los cacahuetes. 6 Me gustan / no me gustan las patatas. 7 Me gusta / no me gusta el café. 8 Me gusta / no me gusta el té.

5 **Actividad libre.**

C Receta del Caribe

1 trabaja, trabaje; come, coma; abre, abra; bebe, beba.

2 1 Lava, 2 Corta, 3 Añade, 4 Mezcla, 5 Sirve.

3 1 Prepara, 2 Compra, 3 Elabora, 4 Usa, 5 Añade, 6 Recoge.

4 **Primer plato:** sopa de fideos, ensalada mixta, gazpacho, judías verdes con jamón. **Segundo plato:** merluza a la plancha, escalope de ternera, pollo asado, chuletas de cordero. **Postre:** helado, fruta, flan. **Bebidas:** vino blanco, agua mineral, vino tinto, cerveza.

5 1 Aceite de oliva, pan y vino 2 Desde hace más de cinco mil años. 3 Porque disminuye el colesterol. 4 Los pescados azules, las legumbres y las frutas. 5 En Grecia y en España.

UNIDAD 6

A ¿Cómo se va a Goya?

1 1 va, toma, baja, cambia. 2 se va, Tome, cambie. 3 va, toma, baja.

2 1 de, a, de. 2 de. 3 a. 4 De, a. 5 de, al, en. 6 a, en. 7 a. 8 de, a. 9 hasta, de. 10 De, a.

3 1 V, 2 F, 3 V.

B Cierra la ventana, por favor

1 1 g.; 2 a., 3 f., 4 h., 5 d., 6 b., 7 c, 8 i., 9 j., 10 e.

2 1 ¿Puedes poner la televisión? 2 ¿Puedes hablar más despacio? 3 ¿Puedes venir aquí? 4 ¿Puedes hacer los ejercicios? 5 ¿Puedes cerrar la puerta? 6 ¿Puedes pedir la cuenta? 7 ¿Puedes encender la luz? 8 ¿Puedes recoger la mesa? 9 ¿Puedes torcer a la derecha? 10 ¿Puedes seguir todo recto?

3 empiezo, empieza; enciendo, enciende; pido, pide; guarda.

4 1 Cierra el libro. 2 Empieza a trabajar. 3 Enciende el ordenador. 4 Christian, siéntate allí. 5 Siga por aquí. 6 Pide dinero a tus padres. 7 Acuéstate pronto. 8 Levántate ya, son las diez. 9 Dame un vaso de agua. 10 Déjame tu coche. 11 Deme su pasaporte.

5 1 Guarda la ropa limpia en el armario. 2 Pon la ropa sucia en la lavadora. **3** Haz la cama. **4** Coloca los libros en la estantería. **5** Pon los CD en su sitio.

C Mi barrio es tranquilo

1 1 a; **2** c; **3** b; **4** d.

2 (1) es, (2) es, (3) está, (4) Está, (5) es, (6) es, (7) es, (8) está.

3 **1** corto, **2** lento, **3** bajo, **4** pequeño, **5** difícil, **6** tranquilo, **7** caro, **8** feo, **9** estrecho, **10** oscuro, **11** gordo.

4 **1** es, **2** está, **4** es rubio, **5** es, **6** está al lado, **7** están, **9** están, **10** Está, **11** está, **12** está, **13** está, está, **14** está, **15** es.

5 Tren: estación, b; avión: aeropuerto, a; barco: puerto, c; taxi: parada, d.

6 **Actividad libre.**

7 **1** salsa, **2** flamenco, **3** tango, **4** ranchera.

8 (1) cultura, (2) ritmos, (3) salsa, (4) baila, (5) popular, (6) canciones, (7) cantantes.

9 1 F. **2** F. **3** V. **4** F.

PRACTICA MÁS 3

1 lechuga, huevo, tomate, naranja, pollo, plátano, limón, queso, jamón, patata.

2 1 f. **2** a, c. **3** e. **4** d. **5** d, b. **6** c. **7** a. **8** b, c, d.

3 **1** Pasear por la playa. **2** Ver la televisión. **3** Jugar al fútbol. **4** Esquiar. **5** Montar en bicicleta. **6** Escuchar música. **7** Navegar por internet. **8** Hacer fotografías. **9** Cuidar las plantas. **10** Bailar.

4 **1** A Ana y a Raúl les gusta el cine, **2** A Ana le gusta ir de compras, pero a Raúl no. **3** A Ana no le gusta la música clásica, pero a Raúl sí. **4** A Ana no le gusta nadar, pero a Raúl sí. **5** A Ana y a Raúl les gusta leer. **6** A Ana no le gusta andar, pero a Raúl sí. **7** A Ana y a Raúl les gusta viajar. **8** A los dos les gusta bailar. **9** A Ana le gusta navegar por internet, pero a Raúl no. **10** A Ana y a Raúl no les gustan las motos. **11** A Ana no le gustan las plantas, pero a Raúl sí. **12** A Ana no le gusta el fútbol, pero a Raúl sí.

5 **Regulares:** terminar: termina; hablar: habla; abrir: abre; mirar: mira; pasar: pasa; coger: coge; tomar: toma; escribir: escribe; comer: come. **Irregulares:** venir: ven; hacer: haz; poner: pon; cerrar: cierra; dar: da; sentarse: siéntate; decir: di; volver: vuelve.

6 Yo vivo en una ciudad muy pequeña y silenciosa. Los edificios son muy antiguos y bajos. Las calles son estrechas y hay pocos coches. El piso donde vivo es grande, y el alquiler barato, porque está lejos del centro. Hay pocas tiendas, pero son baratas para mí.

7 **1** es; **2** es, está; **3** son; **4** está; **5** es; **6** A. están, B. son; **7** A. estás; **8** está; **9** son; **10** está.

8 **1** e; **2** h; **3** a; **4** b; **5** f; **6** g; **7** c; **8** d.

UNIDAD 7

A ¿Dónde quedamos?

1 **1** María: ¿Por qué no vamos a tomar algo después de trabajar?
Ricardo: Lo siento, hoy no puedo, tengo que ir de compras con mi hermano. ¿Te parece bien mañana?
María: ¿A qué hora te viene bien?
Ricardo: ¿A las seis?
María: No, mejor a las seis y media.
Ricardo: De acuerdo. ¡Hasta mañana!

2 Daniel: ¿Vamos al cine esta noche?
Carmen: No puedo, lo siento. Voy a cenar con unos amigos.
Daniel: ¿Y si nos tomamos un café antes?
Carmen: Bueno, de acuerdo. ¿Vamos al Café Central?
Daniel: Estupendo. Nos vemos allí a las cinco.

2 **Actividad libre.**

3 **1** V; **2** F; **3** F; **4** V; **5** V; **6** F.

4 **1** ¿De parte de quién? **2** Ahora se pone. **3** No está en este momento.

5 **1** f; **2** e; **3** a; **4** b; **5** c; **6** d.

6 **1** ¿Está Pilar? **2** ¿A qué hora puedo llamarla? **3** ¿Quieres ir al cine mañana? **4** ¿Quedamos a las seis? **5** ¿A qué hora quedamos? **6** ¿Dónde quedamos?

7 **1** V; **2** V; **3** F; **4** F; **5** V; **6** V.

B ¿Qué estás haciendo?

1 **1** está pintando; **2** están jugando; **3** está mirando; **4** está descansando; **5** están viendo; **6** está saliendo.

2 **1** como; **2** Está haciendo; **3** lees; **4** hago; **5** no hablo; **6** tienes; **7** está durmiendo; **8** Está trabajando; **9** Está estudiando.

3 (1) vive, (2) está pasando, (3) están visitando, (4) están bañándose, (5) tiene, (6) le gusta, (7) están viendo, (8) cenan.

4 **1** Me estoy preparando para un examen. **2** ¿Qué estás haciendo ahora? **3** Están comiendo un bocadillo **4** Estamos haciendo la cena. **5** Mi marido está trabajando. **6** Esta semana está lloviendo mucho. **7** Mis amigos están viendo una película. **8** Claudia y yo estamos trabajando en un nuevo proyecto. **9** Las niñas están bañándose en el cuarto de baño grande. **10** ¿Qué están haciendo los niños en su habitación?

5 **1** María se está lavando la cara. **2** Luis se está afeitando. **3** Mi hermano se está duchando. **4** Me estoy peinando. **5** Susana y Rosa se están pintando los labios. **6** Miguel se está bañando. **7** Mi hijo se está peinando. **8** Él se está cepillando los dientes. **9** Mi madre se está secando el pelo en el cuarto de baño. **10** Mis hermanos se están vistiendo para ir al concierto.

C ¿Cómo es?

1 1 F. **2** F. **3** F. **4** V. **5** V. **6** F. **7** F.

2 **Velázquez:** pelo largo, barba, pelo moreno, bigote, mayor, alto. **Infanta Margarita:** pelo largo, pelo rubio, joven. **Meninas:** pelo largo, pelo moreno, jóvenes.

3 **1** generoso, **2** callado, **3** antipático, **4** alegre, **5** maleducado.

4 **Actividad libre.**

UNIDAD 8

A Por favor, ¿para ir a la catedral?

1 1 e. **2** a. **3** c. **4** f. **5** d. **6** b.

2 **1 B** primera a la izquierda. **2 B** la segunda a la derecha. **3 B** la tercera calle a la izquierda y después la primera a la derecha.

3 **1 A** ¿Puede decirme cómo se va al parque? **B** Gire la primera a la derecha y después la segunda a la izquierda.
2 A ¿Puede decirme cómo se va al teatro? **B** Sí, la primera calle a la izquierda y después la primera a la derecha.
3 A ¿Puede decirme cómo se va al restaurante? **B** Sí, todo recto y después la tercera calle a la derecha.

4 **1** en; **2** hasta, de; **3** a; **4** de; **5** en, a; **6** En, de. **7** al, de, de; **8** a;

9 por, de, hasta, al; **10** por, a.

5 a 3, **b** 5, **c** 1, **d** 2, **e** 4.

B ¿Qué hizo Rosa ayer?

1 fue / comer, comí / escuché, escuchó / leer, leyó / empecé, empezó / estar, estuvo / jugar, jugó / salí, salió / vivir, vivió/ nací, nació / trabajar, trabajé.

2 1 c (trabajo / empecé); **2** e (va / fue); **3** f (ve / escuchó); **4** b (van / jugaron); **5** d (llueve / nevó); **6** a (vamos / estuvimos).

3 (1) estuviste; (2) Fui; (3) comisteis; (4) pedimos; (5) pasasteis; (6) pasamos; (7) reímos; (8) Fue.

4 1 ¿A quién llamó por teléfono el jueves? A Tomás. **2** ¿Qué día tomó el tren? El viernes. **3** ¿A qué hora salió el tren? A las 11:30. **4** ¿De quién fue el sábado el cumpleaños? De María. **5** ¿A qué hora quedaron? A las 5. **6** ¿Con quién fue el domingo al cine? Con Tomás. **7** ¿Cuándo vio la nota del examen? El lunes. **8** ¿Adónde fue el martes? Al gimnasio.

C ¿Qué tiempo hace hoy?

1 (1) estuve, (2) cogí, (3) avión, (4) río, (5) Después, (6) Más tarde, (7) salieron, (8) Finalmente, (9) hice, (10) despedí.

2 1 Siempre deseé conocer la selva. **2** Al día siguiente me fui a Iquitos. **3** En Iquitos vimos el río Amazonas. **4** En el Amazonas se pescan pirañas. **5** En la selva nos bañamos en el Amazonas. **6** En el pueblo de la selva conocí a un grupo de niños. **7** Me llevé un auténtico recuerdo del Amazonas. **8** Me hice fotos con los niños.

3 1 Ayer en México hizo calor y estuvo nublado. Hoy llueve. **2** Ayer en Argentina hizo frío. Hoy hace viento. **3** Ayer en Brasil estuvo nublado y llovió. Hoy hace frío y viento.

4 1 Unos 118 millones de habitantes. **2** 5100 pesos. **3** Iberia y Aeroméxico. **4** Octubre, noviembre, diciembre, enero, febrero, marzo. **5** Las pirámides de Teotihuacán están en Ciudad de México y las pirámides mayas están en Chiapas. **6** Tienes que llevarte bañador para bañarte en las playas de Cancún.

PRACTICA MÁS 4

1 1 estoy viendo. **2** está estudiando. **3** estoy haciendo. **4** juegan; Están jugando. **5** está leyendo. **6** está haciendo. **7** está durmiendo. **8** está duchándose.

2 (1) está comprando, (2) está hablando, (3) está preguntando, (4) está enseñando, (5) van, (6) comentan, (7) están, (8) le gusta.

3 1 tocó, **2** ganó, **3** se fueron, **4** viajaron, **5** estuvieron, **6** se alojaron, **7** vivieron, **8** volvió, **9** dejó, **10** compró.

4 (1) tocó, (2) celebró, (3) llamé, (4) gastó, (5) fui, (6) compré, (7) pasamos.

5 1 tacaño. **2** antipático. **3** serio. **4** maleducado. **5** habladora. **6** generosa. **7** simpático/a. **8** callado/a. **9** educado.

6 1 pelo corto, **2** ojos claros, **3** menor, **4** gordo, **5** alta, **6** pelo liso.

7 1 En Caracas hace calor. **2** En Lima está nublado. **3** En Santiago de Chile está nevando. **4** En Asunción hace frío. **5** En Brasilia hace viento. **6** En Bogotá no hace mucho calor.

8 enero, febrero, marzo, abril, mayo, junio, julio, agosto, septiembre, octubre, noviembre, diciembre.

UNIDAD 9

A ¿Cuánto cuestan estos zapatos?

1 1 (1) cuánto, (2) cuestan, (3) llevo, (4) con tarjeta. **2** (1) cuesta, (2) Son, (3) probármela, (4) queda, (5) gusta, (6) llevo. **3** (1) cuesta, (2) gusta, (3) queda, (4) Cuánto.

3 1 ¿Tú lo traes? **2** ¿Tú las ves? **3** ¿Tú los compras? **4** ¿Tú la conoces? **5** ¿Tú lo lees? **6** ¿Tú lo usas? **7** ¿Tú lo utilizas?

4 1 me; **2** la; **3** los; **4** lo; **5** lo; **6** os; **7** te; **8** Nos, os; **9** las.

B Mi novio lleva corbata

1 Jersey, pantalones, falda, camiseta, calcetines, abrigo, camisa, zapatos.

2 1 monedero; **2** carpeta negra; **3** grises; **4** gafas rojas, modernas; **5** pelota amarilla; **6** azules; **7** rosa; **8** verdes; **9** bufanda naranja.

3 1 caro; **2** moderno; **3** largo; **4** incómodo; **5** limpio; **6** estrecho; **7** claro; **8** pequeño.

4 1 gasta, **2** compras, **3** cómoda, **4** vaqueros, **5** zapatos, **6** elegante, **7** bonitos, **8** favorito.

C Buenos Aires es más grande que Toledo

1 1 Aquellos vaqueros son más baratos que estos. **2** Yo soy menor que Juanjo. **3** El coche de Miguel es mejor que el de Ramón. **4** La silla es más incómoda que el sillón. **5** El abrigo es más corto que la falda. **6** Nosotras tenemos más libros que ella. **7** Tu coche es más moderno que el mío.

2 1 Este, corto; **2** Esa, pequeña; **3** Esos, nuevos; **4** Aquellas, cansadas; **5** esta, roja; **6** este; **7** Estas, caras, aquellas, baratas. **8** Esos, largos, aquellos, cortos; **9** Estos, rebajados; **10** Ese, bonito, barato, caro, feo.

3 (1) mejor; (2) más; (3) menos; (4) más; (5) tan; (6) mayor.

4 **Actividad libre.**

5 (1) noroeste, (2) lugar, (3) después, (4) catedral, (5) empezó, (6) Es, (7) mirar, (8) ambiente, (9) que, (10) encontrar, (11) hay, (12) postre.

UNIDAD 10

A La salud

1 1 rodilla, **2** dedos, **3** mano, **4** brazo, **5** hombro, **6** cara, **7** ojo, **8** oreja, **9** pelo, **10** cuello, **11** pecho, **12** pierna, **13** pie.

2 1 dedos, **2** oreja, **3** cara, **4** pie, **5** ojos, **6** rodilla.

3 1 orejas, **2** bigote, **3** brazos, **4** dientes, **5** ojos, **6** manos, **7** dedos.

4 **Sonia:** ¿Qué te pasa Alfonso? ¿Te encuentras bien? **Alfonso:** No, no muy bien. Tengo fiebre. **Sonia:** ¿Estás tomando algo? **Alfonso:** No, de momento no. **Sonia**: ¿Por qué no te tomas una aspirina y descansas? **Alfonso:** Sí, es lo mejor, porque mañana tengo mucho trabajo. **Sonia:** Seguro que mañana estás mejor.

5 1 le duele, **2** les duele, **3** me duele, **4** le duelen, **5** te duele, **6** nos duelen.

B Antes salíamos con los amigos

1 1 d. trabajaba; **2** f. íbamos; **3** a. venía; **4** c. compraba; **5** e. me gustaba; **6** b. hacías.

2 1 vivíamos; **2** tenía, iba; **3** trabajaba; **4** tocaba; **5** eran, tocaban; **6** iba; **7** éramos, escalábamos; **8** tenía, leía; **9** existían.

3 (1) tenía; (2) vivíamos, (3) era, (4) había, (5) teníamos, (6) iba, (7) era, (8) atendía, (9) vivíamos, (10) tomábamos.

4 1 Tenía 90 años. 2 Vivían más tranquilos. 3 No tenían ni televisión ni radio. 4 En Trujillo. 5 Era barbero. 6 Comían muchos alimentos naturales, leche recién ordeñada y patatas recogidas del campo.

C Voy a trabajar en un hotel

1 1 c; 2 b; 3 e; 4 a; 5 f; 6 d.

2 1 Juan va a lavar el coche. 2 Yo voy a llamar a mis amigos. 3 Ana va a cenar con Pedro. 4 María y Alberto van a pintar su casa. 5 Tomás y yo vamos a arreglar nuestras bicicletas. 6 ¿Vas a ir a la piscina? 7 ¿Vais a venir a comer? 8 ¿Tu hermano va a correr la maratón de Atenas? 9 Mis amigos no van a ver el partido en casa. Lo van a ver en un bar. 10 ¿Vas a hacer obra en la cocina?

3 (1) va a venir; (2) vamos a ver; (3) vamos a jugar; (4) puedo; (5) voy a lavar.

4 1 g; 2 c; 3 b; 4 a; 5 d; 6 e; 7 h; 8 j; 9 i; 10 f.

5 1 David va a hacer fotos a los leones. 2 Pedro va a volar sobre el Gran Cañón. 3 Alberto y Pablo van a pasear por la plaza Roja. 4 Yo voy a visitar las pirámides. 5 Tú vas a escuchar flamenco. 6 Mi novio y yo nos vamos a bañar en las playas de Copacabana. 7 Nosotros vamos a conocer las islas griegas. 8 Mis padres van a admirar la Gioconda. 9 Pablo y María van a conocer el Coliseo. 10 Tu amigo Pedro va a navegar por el Támesis.

6 1 F; 2 F; 3 V; 4 F; 5 V; 6 V.

PRACTICA MÁS 5

1 1 Lo; 2 los; 3 Las; 4 Las; 5 La; 6 Los.

2 1 pequeño. 2 caro. 3 oscura. 4 sucia. 5 larga. 6 antiguo. 7 grande.

3 1 mejor; 2 tan; 3 menos; 4 que; 5 como; 6 mayor, menor; 7 peores; 8 peor; 9 menos; 10 mejores; 11 mejor.

4 comía, decía; dibujabas, decías; dibujaba, comía; dibujábamos, comíamos, decíamos; dibujabais, comíais, decíais; dibujaban, comían, decían. // iba, era; ibas, eras; iba, era; íbamos; erais; iban, eran.

5 1 vivían; 2 era, iba; 3 bebíamos; 4 tenían, salían; 5 íbamos; 6 venía, jugaba; 7 estábamos, montábamos; 8 conducía.

6 2 ¿Cuándo van a ir Juanjo y sus amigos al gimnasio? Van a ir al gimnasio el martes y el jueves. 3 ¿Qué se va a comprar? Se va a comprar un coche nuevo. 4 ¿Con quién va a pasar las vacaciones? Va a pasar las vacaciones con Nieves y Lucía. 5 ¿Qué día va a organizar una fiesta? El día de su cumpleaños, el 28 de febrero. 6 ¿Dónde van a jugar Juanjo y Miguel al tenis? Van a jugar en la Casa de Campo. 7 ¿Dónde va a pasar la Semana Santa? Va a pasar la Semana Santa en Londres.

UNIDAD 11

A ¿Quieres ser millonario?

1 1 ¿Qué está comprando Pedro? 2 ¿Adónde fuiste? 3 ¿Quién arregló el reloj? 4 ¿Qué hicieron para cenar? 5 ¿Adónde os vais de vacaciones? 6 ¿Adónde fueron Rosa y Pablo? 7 ¿Qué sabe tocar Susana? 8 ¿Cuándo viene Lorena? 9 ¿Dónde está el helado? 10 ¿A qué hora es el partido? 11 ¿Qué música te gusta? 12 ¿A qué hora cenas? 13 ¿Quiénes vinieron a verte?

2 1 Cuántos. 2 Cuánta. 3 Cuántas. 4 Cuánto. 5 Cuántos. 6 Cuántas. 7 Cuántos. 8 Cuánta. 9 Cuántos. 10 Cuántos. 11 Cuánto.

3 1 Qué. 2 Qué. 3 Qué. 4 Qué. 5 Qué. 6 Cuál. 7 Cuál. 8 Qué. 9 Qué. 10 Cuál.

4 1 b; 2 c; 3 a; 4 c; 5 b; 6 a.

B Biografías

1 1 Maradona jugó en el Fútbol Club Barcelona. 2 Cervantes fue el autor de *El Quijote*. 3 Los Reyes de España se casaron en Grecia. 4 Antonio Banderas y Melanie Griffith se conocieron en el rodaje de una película. 5 Camilo José Cela recibió el Premio Nobel de Literatura en 1989.

2 1 La Guerra Civil española terminó en abril de 1939. 2 Los Beatles consiguieron su primer éxito en enero de 1963. 3 El hombre llegó a la Luna en julio de 1969. 4 Dalí nació en Cataluña en mayo de 1904. 5 Cristóbal Colón llegó a América en octubre de 1492. 6 La Revolución francesa comenzó en julio de 1789.

3 (1) nació; (2) se fue; (3) se hizo; (4) perdió; (5) Estuvo; (6) volvió; (7) Se casó; (8) Tuvo; (9) fue; (10) escribió; (11) Murió.

4 (1) quiso; (2) empezó; (3) descubrieron; (4) estudió; (5) gustó; (6) empezó; (7) tuvo; (8) se dedicó; (9) crearon; (10) consiguieron.

C Ganadores

1 (1) 1889; (2) 16; (3) 1933; (4) 1945; (5) 1980; (6) 15; (7) 2000; (8) 2003; (9) 2007; (10) 1964; (11) 21; (12) 5; (13) 1991; (14) 1995.

2 1 Gabriela Mistral trabajó como cónsul en Madrid, Lisboa Los Ángeles; 2 Ganó el Premio Nobel de Literatura en 1945; 3 Almodóvar ganó el Óscar con *Todo sobre mi madre*; 4 Miguel Induráin es de Navarra; 5 Cuando ganó la Vuelta a España tenía 21 años.

3 1 En. 2 de. 3 por. 4 En. 5 Desde. 6 Desde, hasta. 7 En. 8 a 9 en. 10 hasta.

4 Actividad libre.

5 1 En mil quinientos cuarenta y siete 2 En mil novecientos sesenta y nueve. 3 En dos mil. 4 En mil setecientos ochenta y nueve. 5 En mil novecientos noventa y cinco. 6 En mil novecientos cuatro. 7 En mil novecientos treinta y nueve. 8 En mil novecientos ochenta y nueve.

UNIDAD 12

A La boda de Pili

1 1 El príncipe Felipe nació en Madrid el 30 de enero de 1968. 2 Felipe Juan Pablo Alfonso y de Todos los Santos. 3 Es serio, introvertido y con gran sentido del humor. 4 La vela y el esquí. 5 Su esposa era periodista. 6 Respuesta por parte del alumno. 7 En Asturias. 8 En 1981.

2 1 V; 2 F; 3 F; 4 V; 5 V.

3 Hermana, padre, abuelo, madre, bisabuelo, primo, tía, cuñado.

4 1 F; 2 F; 3 V; 4 F; 5 F; 6 V; 7 V.

B ¿Cómo te ha ido hoy?

1 **Viajar:** Yo he viajado; Tú has viajado; Él/ella ha viajado; Nosotros hemos viajado; Vosotros habéis viajado; Ellos/as han viajado.

Conocer: Yo he conocido; Tú has conocido; Él/ella ha conocido; Nosotros hemos conocido; Vosotros habéis conocido; Ellos/as han conocido.
Vivir: Yo he vivido; Tú has vivido; Él/ella ha vivido; Nosotros hemos vivido; Vosotros habéis vivido; Ellos/as han vivido.
Divertirse: Yo me he divertido; Tú te has divertido; Él/ella se ha divertido; Nosotros nos hemos divertido; Vosotros os habéis divertido; Ellos/as se han divertido.
Volver: Yo he vuelto; Tú has vuelto; Él/ella ha vuelto; Nosotros hemos vuelto; Vosotros habéis vuelto; Ellos/as han vuelto.
Ver: Yo he visto; Tú has visto; Él/ella ha visto; Nosotros hemos visto; Vosotros habéis visto; Ellos/as han visto.

2 1 Ramón ha conocido a una chica; **2** Nosotros hemos vivido en Mallorca un año; **3** ¿Has visto la última película de Almodóvar? **4** Nunca he estado en Argentina; **5** Mi hermano ha pasado por mi casa esta mañana; **6** Elena ya se ha ido a la cama; **7** ¿Habéis tenido problemas con el pasaporte? **8** Mis vecinos han llamado a la policía, porque han visto a un ladrón en la escalera; **9** Esta mañana no me he afeitado; **10** La Sra. Pérez ha estado dos veces en el hospital; **11** Juan no ha hecho la cama hoy. **12** Clara ha llegado tarde al trabajo.

3 Actividad semilibre.

1 Este verano he viajado por Centroamérica; **2** Esta mañana he desayunado café y tostadas; **3** Este mediodía he comido con mi familia; **4** Esta tarde he estado en el parque; **5** Hoy hemos salido de casa; **6** Esta semana he ido en taxi a la oficina; **7** Esta noche he visto una película muy buena **8** Últimamente he hecho bastante deporte.
9 Estos meses he trabajado para un periódico local.

4 1 llega, ha llegado; **2** he trabajado; **3** A. sales; B. salgo, he salido; **4** comemos, hemos ido; **5** vemos, hemos visto; **6** he hecho, hace; **7** A. has puesto; B. he puesto. **8** se acuesta, se ha ido. **9** abre, han abierto. **10** ha sido, es.

5 (1) llegó; (2) encontró; (3) cumplí; (4) he visto; (5) hemos visto; (6) conocimos; (7) enamoramos; (8) he hablado; (9) hemos decidido.

6 1 De las vacaciones. **2** A una mujer. **3** En un hospital. **4** Es enfermera. **5** 63 años. **6** Fiebres tifoideas. **7** La vida siempre es más dura de lo que uno se imagina.

C Costumbres

1 1 No se puede jugar a la pelota; **2** No se puede correr por las instalaciones; **3** No se puede empujar al agua; **4** Hay que usar gorro de baño; **5** Hay que ducharse antes de entrar al agua. **6** Hay que usar gafas de baño;

2 1 No hay que acostarse tarde; **2** Hay que repasar; **3** No hay que salir por la noche; **4** Hay que dormir ocho horas; **5** No hay que ver la televisión hasta muy tarde; **6** No hay que ponerse nervioso; **7** Hay que estar tranquilo; **8** No hay que cenar tarde; **9** Hay que; **10** No hay que.

PRACTICA MÁS 6

1 1) nació; (2) Estudió; (3) conoció; (4) Pintó; (5) celebró; (6) recibió; (7) conoció; (8) empezó; (9) vivió; (10) volvió; (11) creó; (12) Murió.

2 (1) naciste; (2) nací; (3) estudiaste; (4) empecé; (5) me fui; (6) cantaste; (7) canté; (8) pagaron; (9) estuve; (10) fue; (11) fue; (12) ganó.

3 1 está; **2** es; **3** es; **4** son; **5** están; **6** está; **7** es; **8** está; **9** Estás; **10** sois.

4 A. has trabajado; B. he trabajado; A. Has estado; B. he estado; he viajado; A. Has conocido; B. he conocido.

5 1 No ha trabajado como guía turística; **2** Ha trabajado en una agencia de viajes; **3** Ha estado en España; **4** No ha viajado por todo el país; **5** No ha conocido a muchos españoles.

6 1 ¿Han ido alguna vez a Marbella? **2** ¿Has visto alguna vez una corrida de toros? **3** ¿Ha vivido alguna vez en el extranjero? **4** ¿Habéis ido alguna vez a un concierto de rock? **5** ¿Han comido alguna vez gazpacho? **6** ¿Has montado alguna vez en avión? **7** ¿Ha arreglado alguna vez un enchufe? **8** ¿Ha bailado alguna vez flamenco? **9** ¿Ha hecho alguna vez galletas? **10** ¿Ha pintado alguna vez un cuadro?

7 1 Mis padres se han acostado temprano; **2** Juan se ha bebido toda la leche; **3** Los niños han roto el ordenador; **4** A nosotros nos ha gustado la película; **5** Mi novio y yo hemos estado de vacaciones en Galicia; **6** El concierto ha empezado tarde; **7** La madre de Juan se ha caído por al escalera; **8** El fontanero ha dicho que viene mañana; **9** ¿Has acabado de pintar tu casa?

8 1 Hay que; **2** Hay que; **3** No hay que; **4** no se puede; **5** Hay que; **6** no se puede; **7** Hay que; **8** no hay que ser; **9** No hay que.

UNIDAD 13

A Un lugar para vivir

1 1 Nos gustaría comprar un piso en la playa. **2** A Lola le gustaría cambiar de trabajo. **3** A mi marido le gustaría trabajar en una orquesta. **4** ¿Te gustaría ir a ver una película? **5** ¿A Ud. le gustaría cambiar de coche? **6** Me gustaría ganar más dinero. **7** ¿Os gustaría ir de vacaciones a Mallorca? **8** No me gustaría vivir cerca de una central nuclear. **9** ¿Les gustaría ir el viernes por la tarde a la ópera? **10** ¿Os gustaría cenar el próximo sábado con nosotros?

2 B. Buenos días, este curso; B. céntrico, por la noche; A. un dormitorio; B. ¿Cuánto cuesta; A. 1.200; B. más baratos; A. tienes que coger el autobús, 500; A. 16, comunicado; B. a preguntar.

3 1 garaje; **2** cocina; **3** en la cama; **4** salón; **5** comedor; **6** en la ducha; **7** jardín; **8** armario; **9** en la chimenea; **10** en el espejo.

4 alfombra, cama, horno, sillón, armario, lavabo, ducha, nevera, silla.

B ¿Qué has hecho el fin de semana?

1 1 A: has hecho; B: vi, fui; **2** A: llamé, encontré; B: fui; **3** A: has estado; B: He visto, han salido; **4** A: estudiaste; B: vine, conocí, empezamos, matriculé; B: dejé; **5** A: ha tenido; A: Chocó, fue. **6** A: Has hablado; B: he estado; A: rompió, ha estado. **7** A: Habéis caminado. B: hemos venido.

2 *Titanic:* drama; *El diario de Bridget Jones:* comedia; *Avatar:* de ciencia ficción; *Chicago:* musical; *El exorcista:* de terror; *La guerra de las galaxias:* de ciencia ficción; *El señor de los anillos:* de acción; *Sin perdón:* del oeste.

3 1 Una o dos veces por semana; **2** Las de ciencia ficción; **3** Sí, Javier Bardem; **4** Penélope Cruz y Julia Roberts; **5** *La guerra de las galaxias* y *El señor de los anillos;* **6** Sí; *Lo imposible;* **7** Le gusta sentarse en una terraza a tomar algo y a charlar.

4 1 La mayoría; **2** Casi la mitad; **3** Casi todo el mundo; **4** todo; **5** Muy pocas; **6** La mayoría.

C ¿Quién te lo ha regalado?

1 **Sujeto:** Yo, Tú, Él/ella, Nosotros, Vosotros, Ellos/as; **Objeto directo:** Me, Te, Lo/la, Nos, Os, Los/las; **Objeto indirecto:** Me, Te, Le/Se, Nos, Os, Les/Se.

2 1 Dámelo; **2** Estúdialos; **3** Regálaselo; **4** Tráemelas; **5** Cómpraselo; **6** Mándaselo; **7** Dáselas; **8** Recuérdasela; **9** Nos los devolvió; **10** Me los contaron; **11** Ciérrala; **12** Cómetelo; **13** Dáselas; **14** ¿Se lo has enviado?

3 1 Sí, se lo he dado esta mañana.; **2** Sí se lo conté ayer; **3** No, todavía no se la he llevado; **4** Sí, se lo devolví el sábado; **5** Sí, se lo he explicado; **6** Sí, ya me las han dado; **7** Sí, me la dio ayer **8** Sí, se lo he comprado para después de comer; **9** Sí, nos los dieron el mes pasado; **10** Sí, nos las han traído ahora mismo.

4 1 la; **2** lo; **3** te; **4** Tú; **5** Os; **6** te los; **7** las; **8** les; **9** Yo; **10** Le; lo.

UNIDAD 14

A No había tantos coches

1 **Cantar:** yo cantaba, tú cantabas, él/ella/ Ud. cantaba, nosotros cantábamos, vosotros cantabais, ellos/as/Uds. cantaban; **Tener:** yo tenía, tú tenías, él/ella/Ud. tenía, nosotros teníamos, vosotros teníais, ellos/as/Uds. tenían; **Dormir:** yo dormía, tú dormías, él/ella/Ud. dormía, nosotros dormíamos, vosotros dormíais, ellos/as/Uds. dormían; **Ser:** yo era, tú eras, él/ella/Ud. era, nosotros éramos, vosotros erais, ellos/as/Uds. eran.

2 1 Yo hacía natación / Yo no hacía natación; **2** Yo salía de noche / Yo no salía de noche; **3** Yo tenía moto / Yo no tenía moto; **4** Yo leía cómics / Yo no leía cómics; **5** Yo iba a conciertos de rock / Yo no iba a conciertos de rock; **6** Yo estudiaba en la universidad / Yo no estudiaba en la universidad; **7** Yo trabajaba en verano / Yo no trabajaba en verano; **8** Yo viajaba al extranjero / Yo no viajaba al extranjero; **9** Yo comía hamburguesas / Yo no comía hamburguesas. **10** Yo compartía piso con otros estudiantes. / Yo no compartía piso con otros estudiantes. **11** Yo vestía de otra manera. / Yo no vestía de otra manera. **12** Yo pertenecía a una tribu urbana. / Yo no pertenecía a una tribu urbana. **13** Yo era voluntario de una ONG. Yo no era voluntario de una ONG. **14** Yo iba de vacaciones a mi pueblo.

3 1 viajaba; **2** jugaban; **3** íbamos; **4** trabajaban; **5** vivíamos, gustaba; **6** había; **7** estudiaba; **8** veía. **9** tenía, tenía; **10** era, había, había; **11** estudiaban; **12** veía, hacía, **13** eran, pasaban, iban.

4 1 tenía, fui; **2** comí, gustó, tenía, **3** vivíamos, conocimos; **4** fue, encontró; **5** estuve, estaba; **6** llamaron, estaba; **7** fui; **8** fuimos, me encontré; **9** estaba, se acostó. **10** vinieron, estaba; **11** estaba, salió; **12** hizo, nos quedamos; **13** llamó, encontró; **14** pude, estaba.

5 (1) iba; (2) vio; (3) estaba; (4) se acercó; (5) preguntó; (6) contestó; (7) era; (8) tenía; (9) se bajaron; (10) estuvieron; (11) quedaron.

6 1 El curso pasado; **2** A las seis de la tarde; **3** Frío; **4** De Córdoba; **5** El sol y las calles llenas de gente; **6** Se sentaban a charlar en la hierba de los parques; **7** Con mucho cariño y nostalgia.

B Yo no gano tanto como tú

1 1 México es más grande que Panamá; **2** En Irán hay menos habitantes que en China; **3** Egipto está más al sur que Japón; **4** En Cuba hace más calor que en Canadá; **5** En el desierto del Sahara llueve menos que en Venezuela; **6** Cuba es más pequeño que España; **7** Egipto tiene más población que Canadá; **8** Panamá es el que tiene menos habitantes; **9** España tiene 11 millones más de habitantes que Canadá; **10** Egipto tiene 7,3 millones más de habitantes que Irán.

2 1 b; **2** c; **3** a; **4** c; **5** a; **6** c; **7** a; **8** b.

3 1 Mercurio es el planeta más próximo al Sol; **2** Marte es el planeta más cercano a la Tierra; **3** Plutón es el planeta más distante del Sol; **4** Venus es el planeta más caluroso; **5** Júpiter es el planeta más grande; **6** Mercurio es el planeta más difícil de ver. **7** Marte es el planeta más parecido a la Tierra. **8** Venus es el planeta más brillante.

C Moverse por la ciudad

1 1 a) Su casa está al otro lado de la calle; **2** a) Nadie está sentado entre nosotros; **3** a) La casa está a poca distancia de la iglesia; **4** b) Entre la casa de Juan y la mía hay mucha distancia; **5** b) A espaldas de la casa hay un jardín. **6** a) La casa está entre dos tiendas de ropa. **7** a) Cerca de la entrada hay un jardín. **8** b) La parada de autobús está enfrente.

2 Autobús, tren, bicicleta, autocar, taxi, moto, avión, metro.

3 1 A la vuelta de Semana Santa; **2** En las carreteras de entrada de Madrid, Barcelona y Sevilla; **3** La lluvia, el hielo y la niebla; **4** La huelga de autocares; **5** Los aviones.

PRACTICA MÁS 7

1 1 Le gustaría comer una pizza gigante; **2** Les gustaría vivir más cerca; **3** Le gustaría comprarse un coche nuevo; **4** Le gustaría comprarse un piso más grande; **5** Nos gustaría tener más dinero; **6** Me gustaría ganar más dinero y trabajar menos; **7** A María le gustaría aprobar el examen y entrar en la universidad; **8** Me gustaría levantarme más tarde; **9** A Pedro le gustaría tener hermanos; **10** A Juan le gustaría ver un partido de fútbol en un estadio; **11** A Alicia le gustaría ser cantante.

2 1 He viajado; **2** vivió; **3** ¿Has trabajado; **4** hicimos; **5** he montado; **6** ¿Habéis visto; **7** nos conocimos; **8** llegaste. **9** vendió; **10** has estado.

3 1 me; **2** la; **3** la; **4** los; **5** la; **6** la; **7** te; **8** lo; **9** la; **10** lo; **11** nos; **12** las.

4 1 le gusta; **2** le gusta; **3** nos gusta; **4** les gusta; **5** le gusta; **6** te gustan; **7** les gustan; **8** le gusta.

5 1 A Juan le duele la espalda. **2** A Lucía le encanta ir de compras. **3** A mis hijos les gusta quedarse en casa. **4** A Óscar le duelen las piernas. **5** A los españoles les encanta la siesta. **6** A Irene no le gusta mucho leer. **7** A ellos no les gusta el alcohol. **8** A Luis le molesta el ruido.

6 1 era, trabajaba; **2** tocó, compré; **3** fuimos, estaba; **4** hacía, salí; **5** tocaba, dejó; **6** quedé, vinieron; **7** quería, se estropeó.

7 1 pequeño; **2** caro; **3** oscura; **4** sucia; **5** larga; **6** ancho; **7** antiguo; **8** rico; **9** moderna; **10** limpia; **11** corto.

8 1 b; **2** c; **3** a; **4** b; **5** c; **6** a; **7** a, b; **8** c; **9** b; **10** b; **11** c; **12** b; **13** c.

UNIDAD 15

A Segunda mano

1 1 Por Carmen o por Sara; **2** Muy cerca de la universidad. **3** Comprar una impresora de segunda mano; **4** Para una obra de teatro; **5** En el que se venden coches nuevos y seminuevos; **6** Poco usadas; **7** Por Bea; **8** En el aula 218 del edificio B; **9** Habitación con baño, balcón y calefacción. **10** Con un chico o una chica.

2 **MOTOR:** un coche, una moto; **INMOBILIARIA:** un piso de alquiler; **INFORMÁTICA:** un ordenador; **IMAGEN Y SONIDO:** una cámara digital; un piano; una guitarra eléctrica; un disco de Shakira; **CASA Y HOGAR:** un frigorífico; un lavavajillas; una cama; un bonsái; un acuario.

B En la compra

1 Plátano, pimiento, naranja, lechuga, melocotón, pera, coliflor, uva. Zanahoria.

2 1 c; **2** a; **3** f; **4** b; **5** d; **6** e.

3 1 algún; No, no hay ninguno; **2** alguna; No, no queda ninguna; **3** algún; No, no hay ninguno; **4** algo; No, no deseo nada más, gracias; **5** alguien; No, no ha llamado nadie; **6** alguna; No, no tengo ninguna; **7** algo; No, no quiero nada; **8** algún; No, no tengo ninguno; **9** alguien; No, no espero a nadie.

4 1 No hay ningún limón; **3** ¿Hay alguna botella de agua en la nevera? **4** ¿Vive alguien en el piso de arriba? **5** ¿Ha venido alguien a casa? **7** ¿Hoy no ha llamado nadie por teléfono? **8** ¿Alguien ha visto algo del accidente? **9** ¿Alguno de vosotros sabe algo? **11** ¿No hay nadie con gafas en esta clase?

C Cocina fácil

1 **Primer plato:** ensaladilla rusa, menestra de verdura, sopa castellana; **Segundo plato:** cordero asado, merluza, lomo de cerdo, ternera; **Postre:** fruta del tiempo, helado, tarta, flan; **Bebidas:** agua mineral, vino.

2 (1) Qué; (2) de primero; (3) una; (4) segundo; (5) está; (6) es; (7) yo; (8) merluza; (9) de beber; (10) una botella; (11) mineral; (12) blanco; (13) cuál; (14) vino.

4 1 se cena; **2** se puede; **3** se cuecen; **4** se escribe; **5** se sirve; **6** se oye; **7** se ve; **8** se habla; **9** se toma. **10** se pronuncian; **11** se ve.

5 (1) rito; (2) en; (3) tapas; (4) son; (5) estudio; (6) julio; (7) mayores; (8) de; (9) que; (10) gambas; (11) boquerones; (12) acompañar; (13) refrescos; (14) Andalucía; (15) hay; (16) variedad.

UNIDAD 16

A Este verano, salud

1 **Afirmativo:** (tú) bebe, (Ud.) beba; ven, venga; cállate, cállese; levántate, levántese; haz, haga; **Negativo:** no bebas, no beba; no vengas, no venga; no te calles, no se calle; no te levantes, no se levante; no hagas, no haga.

2 1 Pues no vayas a trabajar, quédate en casa; **2** Pues tómate un té, no un café; **3** Pues sal, no te quedes en casa; **4** Pues ponte los vaqueros, no la falda; **5** Pues cómete un bocadillo, no comas pescado. **6** Pues no vayas al cine, ve a la discoteca. **7** Pues siéntate aquí, no andes más. **8** Pues no juegues a la lotería, gasta el dinero en otra cosa. **9** Pues haz algo especial estas navidades, no hagas lo mismo de siempre. **10** Pues no tengas prisa, relájate un poco.

3 1 No me lo des; **2** No los hagas; **3** No se lo digas; **4** No la abras; **5** No la traigas; **6** No te lo pongas; **7** No los traiga; **8** No la lleves; **9** No me lo digas; **10** No se la ponga; **11** No se lo diga.

4 1 g; **2** b; **3** h **4** f; **5** d; **6** a; **7** c; **8** i; **9** k; **10** i; **11** j.

5 1 Una empresa barcelonesa; **2** 12 euros; **3** El 20% de los españoles; **4** En un masaje antiestrés que dura entre cinco y diez minutos y a continuación la persona se cubre con una manta y duerme unos veinte o treinta minutos; **5** No más de 30 minutos; **6** Es bueno para el corazón y, sobre todo, mejora el rendimiento intelectual.

6 1 b; **2** a; **3** f; **4** d; **5** e; **6** c; **7** i; **8** h; **9** g.

7 1 F; **2** F; **3** F; **4** V; **5** V; **6** F; **7** V.

B Mi jefe está de mal humor

1 1 b; **2** f; **3** e; **4** d; **5** c; **6** a. **7** h; **8** g.

2 1 libre; **2** cerrada; **3** lleno; **4** sucia; **5** estropeado; **6** vacía; **7** ocupado.

3 1 B. es; A. es, Tiene, Tiene; A. Es, está; **2** B. está, están; **3** B. 1. está, 2. está, 3. están, 4. están, 5. están, 6. es, 7. tiene; **4** A. Es; B. está; **5** B. está; **6** A. Está; B. está; **7** B. estoy, estoy; **8** es; **9** están; **10** B. es, está, tiene. **11** es, tiene, está; **12** está, es, tiene.

C ¡Que te mejores!

1 1 **Hacer:** haga, hagas, haga, hagamos, hagáis, hagan; **Tener:** tenga, tengas, tenga, tengamos, tengáis, tengan; **Ir:** vaya, vayas, vaya, vayamos, vayáis, vayan; **Ser:** sea, seas, sea, seamos, seáis, sean; **Estar:** esté, estés, esté, estemos, estéis, estén.

2 1 estés; **2** tengas; **3** encuentre; **4** venga; **5** hagan; **6** te pongas; **7** encontrar; **8** comas; **9** vayan; **10** ganar; **11** gane; **12** saque; **13** salgamos; **14** esté.

3 1 ¡Que te mejores! **2** ¡Que tengas buen viaje! **3** ¡Que seáis felices! **4** ¡Que tengas suerte! **5** ¡Que duermas bien!, ¡Que descanses! **6** ¡Que te lo pases bien!, ¡Que te diviertas!, **7** ¡Felicidades!, ¡Feliz cumpleaños!; **8** ¡Que aproveche!

4 (1) Hola; (2) beca; (3) a; (4) mejorar; (5) espero; (6) Este; (7) apruebo; (8) vacaciones; (9) verte; (10) pronto; (11) diviertas; (12) besos.

PRACTICA MÁS 8

1 1 alguien; **2** algo; **3** nada; **4** ningún; **5** algunas, ninguna; **6** ningún; **7** algún; **8** algo; **9** nada, nadie; **10** alguna; **11** Alguien; **12** ninguna.

2 1 Nada; **2** Ninguno; **3** Nadie; **4** Nada; **5** ningún; **6** nadie; **7** Nada; **8** ninguna; **9** nadie / ningún; **10** Ninguna; **11** Nadie; **12** Ninguno.

3 1 Se hierve; **2** Se echa; **3** Se añade; **4** Se cuece; **5** Se añade; **6** Se sirve.

4 1 Buenos días, ¿qué desean comer? **2** A mí póngame una sopa de primero y de segundo un filete; **3** Yo también quiero sopa, pero de segundo quiero pollo; **4** ¿Y para beber? **5** Vino y casera, por favor; **6** ¿Tomarán algo de postre? **7** No, muchas gracias. La cuenta, por favor.

5 1 No te pongas este jersey, te queda mal; **2** No se siente aquí, la mesa está ocupada; **3** No cojas mi coche, está estropeado;

4 No limpies la habitación, está limpia; **5** No llenes la jarra de agua, está llena; **6** No vayas a comprar el periódico, el quiosco está cerrado; **7** No te compres este CD, está fatal; **8** No te tomes el café, está muy caliente; **9** No vayas a ver esa película, es muy mala.

6 **1** Papá, dame dinero para comer, por favor; **2** Guardad los libros; **3** Por favor, tráigame una cucharilla; **4** Niños, apagad la tele; **5** Hija, levántate ya; **6** Deje de fumar y haga ejercicio; **7** Por favor, hablad más bajo; **8** No corra; **9** Hijo, no comas tanto.

7 **1** Yo espero que Ana traiga el pan; **2** Yo espero que venga a verme; **3** Yo espero que escribáis pronto; **4** Yo espero que mi equipo juegue bien; **5** Yo espero que mi hija apruebe; **6** Yo espero que estéis bien; **7** Yo espero que vengas a mi boda; **8** Yo espero que te mejores.

8 **1** tengas; **2** vengáis; **3** llames; **4** apruebe; **5** casarse; **6** hagas; **7** salgas; **8** sacarse; **9** se jubile; **10** encontrar.

UNIDAD 17

A Buscando trabajo

1 **1** mecánico/a; **2** profesor/a; **3** comercial; **4** cocinero/a; **5** guía turístico/a; **6** informático/a; **7** peluquero/a; **8** periodista; **9** taxista; **10** enfermero/a; **11** policía.

2 ¿Trabajas en una oficina?, ¿Trabajas por la noche?; ¿Tienes que conducir?, ¿Tienes que levantarte temprano?; ¿Normalmente hablas otros idiomas?, ¿Normalmente hablas por teléfono?

3 JOANA: b. Soy profesora de Educación Infantil; JOANA: d. Sí, he trabajado un año en una escuela del Ayuntamiento; DIRECTORA: a. Hay dos turnos: de 8 de la mañana a 3 de la tarde y de 10 a 5; DIRECTORA: c. Puedes elegir: bebés o de 1 a dos años; DIRECTORA: e. 1000 € durante el primer año.

B Sucesos

1 **1** A las 7:30 se estaba duchando. **2** A las 8:00 estaba desayunando en su casa; **3** A las 9:00 estaba dirigiéndose a su trabajo; **4** A las 9:30 estaba conduciendo su furgón de seguridad; **5** A las 10:00 estaba recogiendo 180 000 € en un banco; **6** A las 10:45 estaba abandonando su furgón en un aparcamiento público; **7** A las 11:30 estaba volando con destino a Brasil con su botín; **8** A las 21:30 estaba registrándose en un hotel de 5 estrellas; **9** A las 22:00 estaba cenando en el mejor restaurante de Río de Janeiro; **10** A las 24:00 estaba llamando por teléfono a su madre para desearle buenas noches.

2 **1** (Él) estaba haciendo la comida cuando el cartero llamó a la puerta; **2** (Ellos) estaban cenando cuando el móvil sonó; **3** (Ellas) estaban jugando al tenis cuando empezó a llover; **4** (Él) estaba haciendo una foto cuando el perro le mordió; **5** (Ellos) estaban paseando por al calle cuando vieron un accidente entre dos coches; **6** El ladrón estaba robando el banco cuando llegó la policía.

3 **1** sonó, estaban durmiendo; **2** robaron, estaba hablando **3** estaba empezando, entramos; **4** estaba comprando, se encontró, **5** llamaste, estaba viendo; **6** llegué, estaba trabajando.

4 **1** Un robo a la joyería *La perla de Manila;* **2** Han pasado a disposición judicial; **3** Naufragaron en las costas de Irlanda; **4** Porque el barco chocó contra unos acantilados y se rompió en dos **5** Decenas de paisanos de distintos puntos de Galicia; **6** No se sabe; **7** En la calle Altamirano de Madrid; **8** Han declarado esta mañana en las dependencias policiales; **9** Las ha ampliado debido al accidente que tuvo lugar en el Gran Premio de Alemania. **10** Solo puede haber trabajadores de los equipos en la zona de abastecimiento mecánico, y la velocidad ya no puede ser mayor de 80 Km por hora.

C Excusas

1 (1) ¿Cuántos años tienes? (2) ¿Estás casado? (3) ¿Dónde vives? (4) ¿Qué es lo mejor de vivir en el centro? (5) ¿Qué es lo peor? (6) ¿Cuál es tu restaurante favorito? (7) ¿Dónde haces la compra? (8) ¿Qué haces en tu tiempo libre?

3 **1** La entrevistadora le preguntó que cuántos años tenía; **2** (La entrevistadora le preguntó) que si estaba casado; **3** (La entrevistadora le preguntó) que dónde vivía; **4** (La entrevistadora le preguntó) que qué era lo mejor de vivir en el centro; **5** (La entrevistadora le preguntó) que qué era lo peor de vivir en el centro **6** (La entrevistadora le preguntó) que cuál era su restaurante favorito; **7** (La entrevistadora le preguntó) que dónde hacía la compra; **8** (La entrevistadora le preguntó) que qué hacía en su tiempo libre.

4 **1** El señor le contestó que tenía 55 años; **2** El señor le contestó que estaba casado y tenía dos hijos; **3** El señor le contestó que vivía en la calle Goya, en una casa bastante grande y luminosa; **4** El señor le contestó que lo mejor de vivir en el centro era que podía ir andando a su trabajo y que había muchas tiendas cerca; **5** El señor le contestó que lo peor era el aparcamiento; **6** El señor le contestó que no tenía ningún restaurante favorito, pero que cuando salían en familia elegían un restaurante italiano; **7** El señor le contestó que la compra la solían hacer en un supermercado cerca de casa; **8** El señor le contestó que lo que más le gustaba hacer en su tiempo libre era salir de Madrid y andar por el campo.

5 **1** El paciente le dijo al médico que tenía un problema: sentía un dolor en su ojo derecho cada vez que se bebía una taza de café; Y el doctor le respondió que no parecía nada serio, que tenía que sacar la cucharilla de la taza antes de beberse el café; **2** La paciente le dijo al médico que le dolía la pierna derecha; El doctor le respondió que eso era cosa de la edad; Y la paciente le dijo que la otra pierna tenía la misma edad y que no le dolía.

UNIDAD 18

A ¿Cuánto tiempo llevas esperando?

1 **1** b); **2** a) **3** b); **4** c); **5** b).

2 **1** lleva viendo; **2** llevan trabajando; **3** Lleva nevando; **4** llevas estudiando; **5** lleva saliendo; **6** llevamos ahorrando; **7** Llevo buscando; **8** lleváis hablando; **9** Llevamos esperando; **10** lleváis buscando.

3 **1** Carlos lleva tres horas durmiendo; **2** Rosa lleva una hora y media tocando el piano; **3** Emilio lleva ... trabajando en un taller mecánico; **4** Llevamos ... meses saliendo; **5** Elena lleva dos meses jugando al baloncesto en el Juventud; **6** El lavaplatos lleva un cuarto de hora funcionando; **7** La película lleva un rato empezada.

B ¿Qué pasará?

1 **1** V; **2** F; **3** F; **4** V; **5** F; **6** F; **7** V; **8** F; **9** V.

S

2 1 será; 2 abrirá; 3 Habrá; 4 podrán; 5 tendrán; 6 estará.

3 1 hablará; 2 firmarán; 3 repartirá; 4 viajarán; 5 podrán; 6 lloverá; 7 votará; 8 pasará; 9 vendrán. 10 dirá.

4 1 c; Si fumamos en el autobús, los viajeros protestarán; 2 e; Si el jefe sube el sueldo a Alberto, se comprará un coche nuevo; 3 a; Si el despertador no suena, me levantaré tarde; 4 d; Si mi hija va a la universidad, estudiará Informática; 5 f; Si hace buen tiempo, iremos a dar un paseo; 6 b; Si vais a Granada, veréis la Alhambra.

5 1 no te olvides; 2 se enfadará; 3 daos; 4 me cansaré; 5 cierra; 6 llamad; 7 iremos; 8 mojarás; 9 come; 10 llamadme.

6 1 Pedirá ayuda; 2 El destino les premiará; 3 Practicar algún deporte; 4 Problemas económicos; 5 Encontrarán una pareja.

C ¿Qué te parece este…?

1 1 El incidente ocurrió en la sierra de Madrid; 2 El cielo estaba despejado; 3 La protagonista vio una luz roja; 4 El objeto se movía rápidamente; 5 Se lo contó a la policía; 6 Ella creyó que era un ovni; 7 La policía no la creyó.

2 1 c; 2 a; 3 e; 4 b; 5 d; 6 h; 7 f; 8 g.

3 1 10 años; 2 No; 3 Sí; 4 250 euros; 5 Una fotocopia de DNI o pasaporte; 6 Está en Carabanchel, en la calle de La Oca.

PRACTICA MÁS 9

1 A. Vendedores; B. Cocinero/a; C. Agente de turismo; D. Conductores; E. Profesor/a.

2 1 b, c, e; 2 b, c, d; 3 a, b, d, e; 4 c; 5 d.

3 1 el periodista; la periodista; 2 el peluquero; la peluquera; 3 el dependiente; la dependienta; 4 el guía; la guía; 5 el conductor; la conductora; 6 el programador; la programadora; 7 el taxista; la taxista; 8 el juez; la jueza.

4 1 En un periódico; 2 En una peluquería; 3 En un supermercado; 4 En una agencia de viajes; 5 En un autobús; 6 En una empresa informática; 7 En una empresa de transportes; 8 En un juzgado.

5 1 Isabel le preguntó a Andrés que si tenía hambre. Andrés le respondió que sí, que si preparaban la cena. 2 Luisa le preguntó a Tomás que dónde se alojaba cuando iba a Barcelona. Tomás le contestó que siempre iba a casa de su hermano. 3 Ana le preguntó a Juan que qué quería comer, y Juan le respondió que le daba igual, que le gustaba todo.

6 1 Lleva lloviendo dos horas; 2 Lleva estudiando inglés dos años; 3 Llevo aprendiendo a conducir desde diciembre; 4 Irene y Julián llevan buscando trabajo desde el verano; 5 María lleva trabajando en Sevilla desde el 20 de febrero; 6 Mi hermano y yo llevamos viviendo en Salamanca desde el curso pasado; 7 Llevo escribiendo una novela desde hace seis meses.

7 1 ¿Cuánto tiempo lleva lloviendo? 2 ¿Cuánto tiempo lleva Julia tocando la flauta? 3 ¿Cuánto tiempo lleva doliéndote la espalda? 4 ¿Cuánto tiempo lleva Juan viviendo en el campo? 5 ¿Cuánto tiempo llevan tus amigos cantando en el coro? 6 ¿Cuánto tiempo lleváis jugando en el mismo equipo? 7 ¿Cuánto tiempo llevas trabajando en Málaga? 8 ¿Cuánto tiempo lleváis esperando a tu hermano? 9 ¿Cuánto tiempo lleva practicando natación? 10 ¿Cuánto tiempo lleváis patinando en el Retiro? 11 ¿Cuánto tiempo lleva la biblioteca prohibiendo el uso de móviles?

8 1 c); 2 e); 3 a); 4 f); 5 b); 6 d); 7 h); 8 g).

9 1 tienes, cierra; 2 Iré, invitan; 3 conduces, parará; 4 bebes, no conduzcas; 5 hay, enviaré; 6 Vendrás / vienes, vamos; 7 pagas, cortarán; 8 Llama, tienes.

10 1 Alicia se comprará un coche nuevo si le toca la lotería; 2 Mis amigos irán a Barcelona si tienen dinero; 3 Tú sacarás buenas notas si estudias mucho; 4 Saldremos de paseo si Juan llega pronto.

Vocabulario

V

Abreviaturas

adj. = adjetivo
adv. = adverbio
conj. = conjunción
prep. = preposición
pron. = pronombre
n. m. = nombre masculino
n. f. = nombre femenino
v. = verbo
v. r. = verbo reflexivo

Repasa las palabras más importantes de cada unidad y tradúcelas a tu idioma.

UNIDAD 0

abrir (v.) ____________
alumno/a (n.) ____________
bolígrafo (n. m.) ____________
buenas noches ____________
buenas tardes ____________
buenos días ____________
compañero/a (n.) ____________
completar (v.) ____________
cuaderno (n. m.) ____________
diccionario (n. m.) ____________
empezar (v.) ____________
escribir (v.) ____________
escuchar (v.) ____________
estudiante (n.) ____________
estudiar (v.) ____________
hablar (v.) ____________
hola ____________
lápiz (n. m.) ____________
leer (v.) ____________
libro (v.) ____________
llamarse (v. r.) ____________
mirar (v.) ____________
muy bien ____________
palabra (n. f.) ____________
practicar (v.) ____________
preguntar (v.) ____________
profesor/a (n.) ____________
repetir (v.) ____________
responder (v.) ____________
ser (v.) ____________
y (conj.) ____________

UNIDAD 1

actriz (n. f.) ____________
ama de casa (n.) ____________
bailar (v.) ____________
cafetería (n. f.) ____________
calle (n. f.) ____________
camarero/a (n.) ____________
cantante (n.) ____________
cartero/a (n.) ____________
casado/a (adj.) ____________
ciclista (n.) ____________
clase (n. f.) ____________
comer (v.) ____________
conocer (v.) ____________
de (prep.) ____________
dedicarse (v. r.) ____________
dirección (n. f.) ____________
en (prep.) ____________
encantado/a (adj.) ____________
escritor/a (n.) ____________
escuela (n. f.) ____________
este/esta (pron.) ____________
flamenco (n. m.) ____________
frase (n. f.) ____________
futbolista (n.) ____________
gimnasio (n. m.) ____________
gracias (n.) ____________
hospital (n. m.) ____________
instituto (n. m.) ____________
jugar (v.) ____________
médico/a (n.) ____________
ministro/a (n.) ____________
mucho gusto ____________
novio/a (n.) ____________
nuevo/a (adj.) ____________
número (n. m.) ____________
peluquero/a (n.) ____________
pero (conj.) ____________
policía (n.) ____________
presentar (v.) ____________
presidente/a (n.) ____________
restaurante (n. m.) ____________
secretario/a (n.) ____________
soltero/a (adj.) ____________
taxista (n.) ____________
teléfono (n. m.) ____________
tener (v.) ____________
torero (n.) ____________
trabajar (v.) ____________
urgencias (n.) ____________
vivir (v.) ____________

UNIDAD 2

abuelo/a (n.) ____________
amigo/a (n.) ____________
año (n. m.) ____________
banco (n. m.) ____________
casa (n. f) ____________
cenar (v.) ____________
chico/a (n.) ____________
coche (n. m.) ____________
cuadro (n. m.) ____________
cuánto/a/os/as (pron.) ____________
debajo (adv.) ____________
delante (adv.) ____________
detrás (adv.) ____________
dibujar (v.) ____________
encima (adv.) ____________
entre (prep.) ____________
familia (n. f.) ____________
foto (n. f.) ____________
gafas (n. f. p) ____________
gato/a (n.) ____________

gente (n. f.) ____________
guitarra (n. f.) ____________
hacer (v.) ____________
hermano/a (n.) ____________
hijo/a (n.) ____________
hora (n. f.) ____________
horario (n. m.) ____________
hotel (n. m.) ____________
madre (n. f.) ____________
mapa (n. m.) ____________
más (adv.) ____________
mesa (n. f.) ____________
mi/mis (adj.) ____________
minuto (n. m.) ____________
mujer (n. f.) ____________
ordenador (n. m.) ____________
padre (n. m.) ____________
país (n. m.) ____________
paraguas (n. m.) ____________
pequeño/a (adj.) ____________
por (prep.) ____________
primo/a (n.) ____________
reloj (n. m.) ____________
segundo (adj.) ____________
semana (n. f.) ____________
silla (n. f.) ____________
sofá (n. m.) ____________
tarde (n. f.) ____________
televisión (n. f.) ____________
tienda (n. f.) ____________
tío/a (n.) ____________
tu/tus (adj.) ____________
ventana (n. f.) ____________
zapatilla (n. f.) ____________

UNIDAD 3

acostarse (v. r.) ____________
afeitarse (v. r.) ____________
alguno/a (pron.) ____________
asignatura (n. f.) ____________
autobús (n. m.) ____________
azafata (n. f.) ____________
baile (n. m.) ____________
ballet (n. m.) ____________
beber (v.) ____________
bombero (n.) ____________
bueno/a (adj.) ____________
café (n. m.) ____________
casarse (v. r.) ____________
cocinero/a (n.) ____________
colegio (n. m.) ____________
comida (n. f.) ____________
dependiente/a (n.) ____________
desayunar (v.) ____________
desde (prep.) ____________
desear (v.) ____________
después (adv.) ____________
domingo (n. m.) ____________
dormir (v.) ____________
ducharse (v. r.) ____________
edad (n. f.) ____________

enfermero/a (n.) ____________
entrar (v.) ____________
fiesta (n. f.) ____________
gustar (v.) ____________
hasta (prep.) ____________
huevo (n. m.) ____________
ir (v.) ____________
jueves (n. m.) ____________
leche (n. f.) ____________
levantarse (v.) ____________
lunes (n. m.) ____________
madrugada (n. f) ____________
magdalena (n. f.) ____________
mantequilla (n. f.) ____________
mañana (n. f.) ____________
martes (n. m.) ____________
menos (adv.) ____________
mermelada (n. f.) ____________
miércoles (n. m.) ____________
naranja (n. f.) ____________
queso (n. m.) ____________
sábado (n. m.) ____________
semana (n. f.) ____________
siempre (adv.) ____________
también (adv.) ____________
té (n. m.) ____________
temprano (adv.) ____________
terminar (v.) ____________
todo/a (adj.) ____________
tomar (v.) ____________
tomate (n. m.) ____________
tostada (n. f.) ____________
tren (n. m.) ____________
vacaciones (n. f. p.) ____________
vecino/a (n.) ____________
ver (v.) ____________
viernes (n. m.) ____________
volver (v.) ____________
zumo (n. m.) ____________

UNIDAD 4

aparcar (v.) ____________
armario (n. m.) ____________
arriba (adv.) ____________
ascensor (n. m.) ____________
bajo/a (adj.) ____________
bañera (n. f.) ____________
baño (n. m.) ____________
chalé (n. m.) ____________
cine (n. m.) ____________
ciudad (n. f.) ____________
cocina (n. f.) ____________
comedor (n. m.) ____________
cuarto (n. m.) ____________
derecha (n. f.) ____________
doble (adj.) ____________
dormitorio (n. m.) ____________
espejo (n. m.) ____________
fin de semana (n. m.) ____________
frigorífico (n. m.) ____________
garaje (n. m.) ____________
grande (adj.) ____________
habitación (n. f.) ____________
hay (v. haber) ____________
izquierda (n. f.) ____________
jardín (n. m.) ____________
lámpara (n. f.) ____________
lavabo (n. m.) ____________
llave (n. f.) ____________
microondas (n. m.) ____________
nevera (n. f.) ____________
patio (n. m.) ____________
piscina (n. f.) ____________
plano (n. m.) ____________
planta (n. f.) ____________
salón (n. m.) ____________
sillón (n. m.) ____________
simpático/a (adj.) ____________
supermercado (n. m.) ____________
tarjeta de crédito (n. f.) ____________

UNIDAD 5

agua (n. f.) ____________
andar (v.) ____________
animal (n. m.) ____________
arroz (n. m.) ____________
azúcar (n.) ____________
bicicleta (n. f) ____________
caminar (v.) ____________
carne (n. f.) ____________
carta (n. f.) ____________
cerveza (n. f.) ____________
chuleta (n. f.) ____________
cine (n. m.) ____________
comedia (n. f.) ____________
cordero (n. m.) ____________
deporte (n. m.) ____________
discoteca (n. f.) ____________
ensalada (n. f.) ____________
flan (n. m.) ____________
fruta (n. f.) ____________
fútbol (n. m.) ____________
gazpacho (n. m.) ____________
hielo (n. m.) ____________
jamón (n. m.) ____________
judías verdes (n.) ____________
limón (n. m.) ____________
merluza (n. f.) ____________
montar (v.) ____________
música (n. f.) ____________
nadar (v.) ____________
partido (n.m) ____________
patata (n. f.) ____________
plátano (n. m.) ____________
plato (n. m.) ____________
playa (n. f.) ____________
película (n. f.) ____________
pescado (n. m.) ____________
pollo (n. m.) ____________
postre (n. m.) ____________
receta (n. f.) ____________
sopa (n. f.) ____________
ternera (n. f.) ____________
tortilla (n. f.) ____________
viajar (v.) ____________
vino (n. m.) ____________

UNIDAD 6

alquilar (v.) ____________
antes (adv.) ____________
apagar (v.) ____________
aquí (adv.) ____________
barrio (n. m.) ____________
billete (n. m.) ____________
cambiar (v.) ____________
céntrico (adj.) ____________
cerca (adv.) ____________
coger (v.) ____________
comunicado (adj.) ____________
dato (n. m.) ____________
deberes (n.pl.) ____________
encender (v.) ____________
enfrente (adv.) ____________
enseguida (adv.) ____________
estación (n. f.) ____________
extraña (adj.) ____________
frío (adj.) ____________
informe (n. m.) ____________
lejos (adv.) ____________
lento (adj.) ____________
línea (n. f.) ____________
mal (adv.) ____________
malo (adj.) ____________
metro (n. m.) ____________
necesitar (v.) ____________
nota (n. f.) ____________
parada (n. f.) ____________
perdonar (v.) ____________
plaza (n. f.) ____________
poder (v.) ____________
preparar (v.) ____________
prestar (v.) ____________
rápido/a (adj.) ____________
recto/a (adj.) ____________
reunión (n. f.) ____________
ruido (n. m.) ____________
ruidoso/a (adj.) ____________
seguir (v.) ____________
sencillo/a (adj.) ____________
sentarse (v. r.) ____________
taxi (n. m.) ____________
tomar (v.) ____________
torcer (v.) ____________
tranquilo/a (adj.) ____________
vale ____________

UNIDAD 7

alegre (adj) ____________
amarillo/a (adj.) ____________
antipático (adj.) ____________
azul (adj.) ____________
bañador (n. m.) ____________
barba (n. f.) ____________
bigote (n. m.) ____________
blanco/a (adj.) ____________
cabeza (n. f.) ____________
callado/a (adj.) ____________
calvo/a (adj.) ____________
claro/a (adj.) ____________

conmigo ____________
corto/a (adj.) ____________
de acuerdo ____________
dejar (v.) ____________
delgado/a (adj.) ____________
dígame (v.) ____________
educado/a (adj.) ____________
estupendo ____________
generoso/a (adj.) ____________
gordo/a (adj.) ____________
hablador/a (adj.) ____________
largo/a (adj.) ____________
lavarse (v. r.) ____________
lo siento ____________
mejor (adj.) ____________
momento (n. m.) ____________
moreno/a (adj.) ____________
ojo (n. m.) ____________
oscuro/a (adj.) ____________
peinarse (v. r.) ____________
pelo (n. m.) ____________
pelota (n. f.) ____________
periódico (n. m.) ____________
piel (n. f.) ____________
puerta (n. f.) ____________
quedar (v.) ____________
recado (n. m.) ____________
rojo/a (adj.) ____________
rubio/a (adj.) ____________
secarse (v. r.) ____________
señor/a (n.) ____________
simpático/a (adj.) ____________
sol (n. m.) ____________
sombrero (n. m.) ____________
sombrilla (n. m.) ____________
toalla (n. f.) ____________
tumbona (n. f.) ____________
último/a (adj.) ____________
venga ____________
verde (adj.) ____________

UNIDAD 8

acabar (v.) ____________
así es ____________
atender (v.) ____________
ayer (adv.) ____________
calor (n. m.) ____________
cansado/a (adj.) ____________
concierto (n. m.) ____________
correos (n.) ____________
cumpleaños (n. m) ____________
diferente (adj.) ____________
encontrar(se) (v.) ____________
enfermo/a (adj.) ____________
farmacia (n. f.) ____________
final (n. m.) ____________
girar (v.) ____________
iglesia (n. f.) ____________
invierno (n. m.) ____________
llegar (v.) ____________
llover (v.) ____________
nevar (v.) ____________
nublado (adj.) ____________
otoño (n. m.) ____________
primavera (n. f.) ____________
tiempo (n. m.) ____________
verano (n. m.) ____________
viento (n. m.) ____________
visitar (v.) ____________

UNIDAD 9

aburrido/a (adj.) ____________
ancho/a (adj.) ____________
anillo (n. m.) ____________
antiguo/a (n. m.) ____________
ayudar (v.) ____________
barato/a (adj.) ____________
bolso (n. m.) ____________
camisa (n. f.) ____________
camiseta (n. f.) ____________
caro/a (adj.) ____________
chaqueta (n. f.) ____________
cliente/a (n.) ____________
collar (n. m.) ____________
conocer (v.) ____________
contaminado/a (adj.) ____________
corbata (n. f.) ____________
costar (v.) ____________
divertido/a (adj.) ____________
efectivo (adj.) ____________
estrecho/a (adj.) ____________
estresante (adj.) ____________
falda (n. f.) ____________
habitante (n. m.) ____________
limpio/a (adj.) ____________
llevar (v.) ____________
marrón/ones (adj.) ____________
mayor (adj.) ____________
medias (n. f. pl.) ____________
mejor (adj.) ____________
menor (adj.) ____________
moderno/a (adj.) ____________
montaña (n. f.) ____________
morado/a (adj.) ____________
negro/a (adj.) ____________
pantalones (n. m. pl.) ____________
pendientes (n. m.) ____________
peor (adj.) ____________
playeras (n. f. pl) ____________
precioso/a (adj.) ____________
rebajado/a (adj.) ____________
rico/a (adj.) ____________
ropa (n .f.) ____________
rosa (adj.) ____________
seguro/a (adj.) ____________
sucio/a (adj.) ____________
tienda (n. f.) ____________
vaqueros (n. pl.) ____________
zapato (n. m.) ____________

UNIDAD 10

aconsejar (v.) ____________
ahorrar (v.) ____________
aspirina (n. f.) ____________
autocar (n. m.) ____________
brazo (n. m.) ____________
cabeza (n. f.) ____________
campo (n. m) ____________
cara (n. f.) ____________
cuello (n. m.) ____________
de repente ____________
dedo (n. m.) ____________
dentista (n.) ____________
descansar (v.) ____________
doler (v.) ____________
entrenar (v.) ____________
espalda (n. f.) ____________
estómago (n. m) ____________
feliz (adj.) ____________
fiebre (n. f.) ____________
garganta (n. f.) ____________
gripe (n. f.) ____________
hombro (n. m) ____________
jugador (n. m.) ____________
mano (n. f.) ____________
mejorar (v.) ____________
mercadillo (n .m.) ____________
miel (n. f.) ____________
muela (n. f.) ____________
oído (n. m.) ____________
oreja (n. f.) ____________
pecho (n. m.) ____________
pie (n. m.) ____________
pierna (n. f.) ____________
plan (n. m.) ____________
rodilla (n. f.) ____________
social (adj.) ____________
vida (n. f.) ____________
vuelta (n. f.) ____________

UNIDAD 11

actor (n. m.) ____________
banda (n. f.) ____________
capital (n. f.) ____________
ciclista (n.) ____________
componer (v.) ____________
concurso (n. m.) ____________
coro (n. m.) ____________
crecer (v.) ____________
descubrir (v.) ____________
entrenar (v.) ____________
famoso/a (adj.) ____________
fecha (n. f.) ____________
grabar (v.) ____________
habitante (n.) ____________
inventor/a (n.) ____________
isla (n. f.) ____________
millonario/a (adj.) ____________
nacimiento (n. m.) ____________
novela (n. f.) ____________
pisar (v.) ____________
población (n. f.) ____________
recibir (v.) ____________
repertorio (n. m.) ____________
sacar (v.) ____________
salsa (n. f.) ____________
superficie (n. f.) ____________
tango (n. m.) ____________

UNIDAD 12

abuelo/a (n.) ___________
alegre (adj.) ___________
amable (adj.) ___________
arreglar (v.) ___________
boda (n. f.) ___________
cariñoso/a (adj.) ___________
cultura (n. f.) ___________
cuñado/a (n.) ___________
divertido/a (adj.) ___________
egoísta (adj.) ___________
grosero/a (adj.) ___________
montar (v.) ___________
nervioso/a (adj.) ___________
pesado/a (adj.) ___________
primo/a (n.) ___________
serio/a (adj.) ___________
sobrino/a (n.) ___________
tranquilo/a (adj.) ___________
triste (adj.) ___________

UNIDAD 13

alfombra (n. f.) ___________
apartamento (n. m.) ___________
ascensor (n. m.) ___________
calefacción (n. f.) ___________
crítica (n. f.) ___________
chalé (n. m.) ___________
chimenea (n. f.) ___________
espejo (n. m.) ___________
gastar (v.) ___________
gobierno (n. m.) ___________
horno (n. m.) ___________
lavabo (n. m.) ___________
lavadora (n. f.) ___________
limpiar (v.) ___________
manta (n. f.) ___________
miedo (n. m.) ___________
mueble (n. m.) ___________
pared (n. f.) ___________
parqué (n. m.) ___________
piso (n. m.) ___________
planchar (v.) ___________
protagonista (n.) ___________
puesto (n. m) ___________
sanidad (n. f.) ___________
techo (n. m.) ___________
terraza (n. f.) ___________
toalla (n. f.) ___________
vecino/a (n.) ___________
votar (v.) ___________

UNIDAD 14

adolescencia (n. f.) ___________
anuncio (n. m.) ___________
bronca (n. f.) ___________
conductor/a (n.) ___________
cruzar (v.) ___________
diferencia (n. f.) ___________
empresa (n. f.) ___________
esquina (n. f.) ___________
ganar (v.) ___________
garaje (n. m.) ___________
guardia (n. f.) ___________
imprenta (n. f.) ___________
maravilloso/a (adj.) ___________
minifalda (n. f.) ___________
monjas (n. f.) ___________
pastelería (n. f.) ___________
piscina (n. f.) ___________
preocupado/a (adj.) ___________
prisa (n. f.) ___________
puntual (adj.) ___________
reportaje (n. m.) ___________
sierra (n. f.) ___________
sueldo (n. m.) ___________
sufrir (v.) ___________
taller (n. m.) ___________
tipógrafo/a (n.) ___________
transporte (n. m.) ___________
tranvía (n. m.) ___________

UNIDAD 15

ahorrar (v.) ___________
ajo (n. m.) ___________
algo (pron.) ___________
alguno (pron.) ___________
amplificador (n. m.) ___________
aperitivo (n. m.) ___________
banqueta (n. f.) ___________
batería (n. f.) ___________
calamar (n. m.) ___________
cebolla (n. f.) ___________
cocer (v.) ___________
coliflor (n. f.) ___________
encuesta (n. f.) ___________
fresa (n. f.) ___________
freír (v.) ___________
intercambiar (v.) ___________
judías verdes (n. f.) ___________
lechuga (n. f.) ___________
machacar (v.) ___________
manzana (n. f.) ___________
marisco (n. m.) ___________
melocotón (n. m.) ___________
merienda (n. f.) ___________
morcilla (n. f.) ___________
nada (pron.) ___________
negociable (adj.) ___________
ninguno (pron.) ___________
óptico/a (adj.) ___________
paellera (n. f.) ___________
patata (n. f.) ___________
pera (n. f.) ___________
plátano (n. m.) ___________
seminuevo/a (adj.) ___________
trocear (v.) ___________
uva (n. f.) ___________
zanahoria (n. f.) ___________

UNIDAD 16

animado/a (adj.) ___________
aprovechar (v.) ___________
bañador (n. m.) ___________
basura (n. f) ___________
crema (n. f.) ___________
cumplir (v.) ___________
deprimido/a (adj.) ___________
divertirse (v. r.) ___________
enamorado/a (adj.) ___________
harto/a (adj.) ___________
mejorar (v.) ___________
papelera (adj.) ___________
peligro (n. m.) ___________
precaución (n. f.) ___________
protector/a (adj.) ___________
protegerse (v. r.) ___________
quemadura (n. f) ___________
quemarse (v. r.) ___________
raro/a (adj.) ___________
reservado/a (adj.) ___________
revuelto/a (adj.) ___________
señal (n. f.) ___________
solar (adj.) ___________
suficiente (adv.) ___________

UNIDAD 17

aplazar (v.) ___________
atender (v.) ___________
avería (n. f.) ___________
condición (n. f.) ___________
conductor/a (n.) ___________
contestador (n. m.) ___________
guía turística (n.) ___________
hipnotizador/a (n.) ___________
intentar (v.) ___________
ladrón/a (n.) ___________
mensaje (n.) ___________
pagas (n. f.) ___________
perder (v.) ___________
periodista (n.) ___________
prisión (n. f.) ___________
programador/a (n.) ___________
propina (n. f.) ___________
quejarse (v. r.) ___________
suceso (n. m.) ___________

UNIDAD 18

ajedrez (n. m.) ___________
colaborar (v.) ___________
corrupción (n. f.) ___________
desagradable (adj.) ___________
emocionante (adj.) ___________
interesar (v.) ___________
molestar (v.) ___________
opinar (v.) ___________
póster (n. m.) ___________
predicción (n. f.) ___________
preocupar (v.) ___________
promesa (n. f.) ___________
vivienda (n. f.) ___________